国际中文教育中文水平等级标准
（国家标准·应用解读本）

主　　编	刘英林　马箭飞　赵国成
主要成员	傅永和　国家语言文字工作委员会
	胡自远　教育部中外语言交流合作中心
	李佩泽　汉考国际教育科技（北京）有限公司
	李亚男　汉考国际教育科技（北京）有限公司
	梁彦民　北京语言大学
	郭　锐　北京大学
	侯精一　中国社会科学院语言研究所
	李行健　教育部语言文字应用研究所
	王理嘉　北京大学
	张厚粲　北京师范大学
	杨寄洲　北京语言大学
	赵　杨　北京大学
	吴勇毅　华东师范大学
	王学松　北京师范大学
	张新玲　上海大学
	刘立新　北京大学
	张　洁　中国人民大学
	于天昱　北京语言大学
	应晨锦　首都师范大学
	金海月　北京语言大学
	王鸿滨　北京语言大学
	关　蕾　教育部中外语言交流合作中心
	白冰冰　汉考国际教育科技（北京）有限公司

国外咨询专家：（按国名音序排序）

顾安达	德国	柏林自由大学
白乐桑	法国	巴黎东方语言文化学院
孟柱亿	韩国	韩国外国语大学
刘乐宁	美国	哥伦比亚大学
古川裕	日本	大阪大学
张新生	英国	伦敦理启蒙大学

国内咨询专家：（按姓氏音序排序）

曹　文	北京语言大学
曹贤文	南京大学
陈志华	兰州理工大学
陈作宏	中央民族大学
程　娟	北京语言大学
程乐乐	武汉大学
丁崇明	北京师范大学
段业辉	南京师范大学
冯丽萍	北京师范大学
郭风岚	北京语言大学
郭　鹏	北京语言大学
韩维春	对外经济贸易大学
洪　波	首都师范大学
胡晓清	鲁东大学
贾巍巍	高等教育出版社
姜　锋	上海外国语大学
李光哲	东北师范大学
李　泉	中国人民大学
李　杨	北京语言大学
刘　利	北京语言大学
卢福波	南开大学
鲁健骥	北京语言大学

陆俭明　北京大学
吕文华　北京语言大学
毛　悦　北京语言大学
潘先军　北京第二外国语大学
任惠莲　西北大学
施春宏　北京语言大学
施家炜　北京语言大学
苏英霞　北京语言大学
汤　洪　四川师范大学
唐兴全　对外经济贸易大学
万　莹　华中师范大学
王立新　南开大学
吴　坚　华南师范大学
吴中伟　复旦大学
谢小庆　北京语言大学
许嘉璐　北京师范大学
杨丽姣　北京师范大学
翟　艳　北京语言大学
张　博　北京语言大学
张　健　北京语言大学
张建民　华东师范大学
张晓慧　北京外国语大学
张晓涛　哈尔滨师范大学
张艳莉　上海外国语大学
钟英华　天津师范大学
周小兵　中山大学
朱瑞平　北京师范大学

国际中文教育
中文水平等级标准

（国家标准·应用解读本）

Chinese Proficiency Grading Standards for International Chinese Language Education

(National Standard: Application and Interpretation)

第三分册：语法
Volume 3: Grammar

教育部中外语言交流合作中心　编

刘英林　马箭飞　赵国成　主编

北京语言大学出版社
BEIJING LANGUAGE AND CULTURE
UNIVERSITY PRESS

© 2021 北京语言大学出版社，社图号 20135

图书在版编目（CIP）数据

国际中文教育中文水平等级标准：国家标准·应用解读本 . 3，语法 / 教育部中外语言交流合作中心编；刘英林，马箭飞，赵国成主编 . —北京：北京语言大学出版社，2021.4（2024.1 重印）

ISBN 978-7-5619-5742-4

Ⅰ.①国… Ⅱ.①教… ②刘… ③马… ④赵… Ⅲ.①汉语 – 语法 – 对外汉语教学 – 课程标准 Ⅳ.①H195.3

中国版本图书馆 CIP 数据核字（2020）第 165059 号

国际中文教育中文水平等级标准（国家标准·应用解读本）第三分册：语法
GUOJI ZHONGWEN JIAOYU ZHONGWEN SHUIPING DENGJI BIAOZHUN
(GUOJIA BIAOZHUN · YINGYONG JIEDUBEN)
DI-SAN FENCE: YUFA

责任编辑：	付彦白
装帧设计：	张　静
责任印制：	周　燚
排版制作：	北京创艺涵文化发展有限公司

出版发行：	北京语言大学出版社
社　　址：	北京市海淀区学院路 15 号，100083
网　　址：	www.blcup.com
电子信箱：	service@blcup.com
电　　话：	编 辑 部 8610-82303647/3592/3724
	国内发行 8610-82303650/3591/3648
	海外发行 8610-82303365/3080/3668
	北语书店 8610-82303653
	网购咨询 8610-82303908
印　　刷：	天津嘉恒印务有限公司

版　次：	2021 年 4 月第 1 版	印　次：	2024 年 1 月第 6 次印刷
开　本：	880 毫米 ×1230 毫米　1/16	印　张：	6
字　数：	146 千字	定　价：	45.00 元

PRINTED IN CHINA
凡有印装质量问题，本社负责调换。QQ：1367565611，电话：010-82303590

目　　录

使用说明	I
附录 A（规范性）语法等级大纲	1
初等（210 个）	3
一级语法点（48 个）	3
一、词类	3
（一）名词	3
（二）动词	3
（三）代词	3
（四）数词	4
（五）量词	4
（六）副词	4
（七）介词	5
（八）连词	5
（九）助词	5
二、短语	6
（一）结构类型	6
三、句子成分	6
（一）主语	6
（二）谓语	6
（三）宾语	6
（四）定语	6
（五）状语	7
四、句子的类型	7
（一）句型	7
（二）句类	7
（三）特殊句型	8
（四）复句	9
五、动作的态	9
六、特殊表达法	9
（一）数的表示法	9
（二）时间表示法	10
七、提问的方法	10

二级语法点（81个）

一、词类
- （一）动词 11
- （二）代词 11
- （三）形容词 12
- （四）数词 12
- （五）量词 12
- （六）副词 12
- （七）介词 13
- （八）连词 14
- （九）助词 14
- （十）叹词 15

二、短语
- （一）结构类型 15
- （二）功能类型 15
- （三）固定短语 15

三、固定格式 16

四、句子成分
- （一）谓语 16
- （二）补语 16

五、句子的类型
- （一）句型 17
- （二）特殊句型 17
- （三）复句 19

六、动作的态 20

七、特殊表达法 20

八、强调的方法 21

九、提问的方法 21

十、口语格式 21

三级语法点（81个）

一、语素
- （一）前缀 22
- （二）后缀 22

二、词类
- （一）动词 22
- （二）代词 22
- （三）量词 23

　　（四）副词 23
　　（五）介词 25
　　（六）连词 26
　　（七）拟声词 26
三、短语 26
　　（一）结构类型 26
　　（二）固定短语 26
四、固定格式 27
五、句子成分 27
　　（一）主语 27
　　（二）宾语 27
　　（三）定语 27
　　（四）补语 28
六、句子的类型 29
　　（一）句型 29
　　（二）特殊句型 29
　　（三）复句 30
七、特殊表达法 32
八、强调的方法 32
九、提问的方法 32
十、口语格式 32

中等（新增214个） 33
四级语法点（76个） 33
一、词类 33
　　（一）动词 33
　　（二）代词 33
　　（三）量词 33
　　（四）副词 33
　　（五）介词 34
　　（六）连词 35
　　（七）助词 35
　　（八）叹词 35
二、短语 35
　　（一）固定短语 35
三、固定格式 36

四、句子成分 36
（一）主语 36
（二）定语 37
（三）补语 37
五、句子的类型 37
（一）特殊句型 37
（二）复句 38
六、特殊表达法 40
（一）数的表示法 40
七、强调的方法 40
八、口语格式 41

五级语法点（71个） 43
一、词类 43
（一）代词 43
（二）量词 43
（三）副词 43
（四）介词 44
（五）连词 44
（六）助词 45
二、短语 45
（一）固定短语 45
三、固定格式 46
四、句子成分 46
（一）宾语 46
（二）状语 47
（三）补语 47
五、句子的类型 48
（一）特殊句型 48
（二）复句 49
六、强调的方法 50
七、口语格式 51
八、句群 52

六级语法点（67个） 53
一、语素 53
（一）类前缀 53
（二）类后缀 53

二、词类
（一）代词 ... 53
（二）量词 ... 53
（三）副词 ... 53
（四）介词 ... 54
（五）连词 ... 55
（六）助词 ... 55

三、短语
（一）结构类型 ... 55
（二）固定短语 ... 55

四、固定格式 ... 56

五、句子成分
（一）宾语 ... 57
（二）补语 ... 57

六、句子的类型
（一）特殊句型 ... 57
（二）复句 ... 57

七、强调的方法 ... 59

八、口语格式 ... 59

高等（新增 148 个） ... 61

七—九级语法点（148 个） ... 61

一、词类
（一）动词 ... 61
（二）代词 ... 61
（三）量词 ... 61
（四）副词 ... 61
（五）介词 ... 65
（六）连词 ... 65
（七）助词 ... 65

二、短语
（一）结构类型 ... 66
（二）固定短语 ... 66

三、固定格式 ... 68

四、句子成分
（一）宾语 ... 68
（二）补语 ... 68

五、句子的类型	69
（一）特殊句型	69
（二）复句	69
六、强调的方法	73
七、口语格式	73
八、句群	74
（一）按形式分类	74
（二）按意义分类	75

使 用 说 明

《国际中文教育中文水平等级标准（国家标准·应用解读本）》共分三册，第一分册为《国际中文教育中文水平等级标准》（以下简称"《标准》"）的等级描述、音节表和汉字表（含手写汉字表），第二分册为《标准》的词汇表，第三分册为《标准》的附录A（规范性）语法等级大纲。

一 《标准》的定位与用途

《标准》作为面向新时代的国家标准，是国际中文教育的顶层设计与基本建设，是一种标准化、规范化、系统化、精密化的等级标准体系，用以指导国际中文教育的教学、测试、学习与评估，具有多种用途和广泛的适应性。

《标准》的主要用途：

1. 国际中文教育进行总体设计、教材编写、课堂教学和课程测试的重要参照。
2. 中国国家级中文水平考试的主要命题依据。
3. 编制国际中文教育常用字典、词典及计算机音节库、字库、词库和语法库的重要参照。
4. 各种中文教学与学习创新型评价的基础性依据。
5. "互联网+"时代国际中文教育的各种新模式、新平台构建的重要依据。

二 关于《标准》整体框架的说明

1.《标准》提出了"三等九级"的新框架、新范式。其中初等、中等、高等为中文水平的整体界定与描述，从语言材料、社会交际、话题表达、交际策略、中国文化与跨文化交际能力、语言量化指标等角度进行总体说明。每一等中文水平整体描述之后，是本等细分下的三个级别的中文水平的详细描述。

2.《标准》遵循"等级质量""集成创新"新理念，"每一级"标准以"3+5"规范化新路径呈现，配以"四维基准"的量化指标组合。"3"指言语交际能力、话题任务内容、语言量化指标三个层面，"5"指听、说、读、写、译五种语言基本技能，"四维基准"指衡量中文水平的音节、汉字、词汇、语法四种语言基本要素。

3.《标准》坚持定性描述与定量分析相结合的原则，既有简洁的、概括性的"模糊语言"进行的定性描述，又有明确的、阶梯性的"量化语言"进行的定量描述，如：阅读速度、篇幅长度等。

三 关于《标准》描述语的说明

（一）言语交际能力

言语交际能力的描述，是从综合运用各种技能在各种情境下就各类话题进行社会交际的角度进行说明的。描述语体系具有阶梯性、规范性、科学性。

（二）话题任务内容

根据教学与学习的难易度、适用度等，选取每一级最常用、最典型、最具代表性的话题，并结合所列话题，列举出较为具体、有实际指导意义、能将多种语言技能融合在一起的交际任务。话题任务说明中适当反映中国文化与跨文化交际的内容。

（三）语言量化指标

语言量化指标是由音节、汉字、词汇、语法"四维基准"构成的等级量化指标体系，每一级语言量化指标既标明本级别应掌握的语言要素数量，又标明本级别较上一级别新增的语言要素数量。高等的语言量化指标是包容统合在一起的，不再细分为七、八、九三个级别。

为适应世界各地中文教学多样化、本土化的需求，每一级的音节、汉字、词汇、语法各项量化指标在教学实践中可以灵活掌握，既可以从中替换5%左右的内容，也可以减少5%左右的内容。以一级汉字300字为例，可以替换5%（15个字），保持300字的总量不变；也可以将300字减少5%（15个字），即数量变为285字。再如，国名、地名、学校名、人名，以及当地具有文化特色的食品、用品、常用交际词语等，可在各级别语言量化指标的基础上适当替换；也可根据学习对象、教学需求的不同，适当降低本级别语言量化指标。

（四）五种语言基本技能

"听"的技能从语言知识、听力材料、认知能力、听力策略等维度进行说明。"说"的技能从语言要素的运用能力、话语组织能力、社会语言能力等维度进行说明。"读"的技能从语言知识、文本特点、理解能力、推断能力、阅读策略等维度进行说明。"写"的技能分为写字和写作两个方面，从手写汉字量、书写要求、书写速度等维度对写字能力进行说明，从语言表达的准确性、丰富性、得体性、恰当性等维度对写作能力进行说明。"译"的技能从中等水平开始作为第五项技能纳入言语交际能力维度之中，分为口译和笔译两个方面，从"在何种情景中""做什么交际任务""过程如何""结果如何"等维度进行说明，并将运用场合分为"非正式场合"和"正式场合"。

四 关于《标准》音节表的说明

1.《标准》音节表共收录1110个音节，包括《汉语国际教育用音节汉字词汇等级划分》（以下简称"《等级划分》"）的1095个基本音节中的1094个，替换掉一个（"zhèi [这]"替换为了"guo [过]"），还包括《等级划分》中的15个轻声字音节。

2. 根据《等级划分》普及化等级、中级、高级及高级"附录"三大等级音节数量，确定《标准》音节表初等、中等、高等音节数量，再将初等 608 个音节和中等新增 300 个音节，根据声韵组合规律、发音重点和难点、负荷汉字等情况划分到一——六级，每级音节数量分别为 269 个、199 个、140 个、116 个、98 个、86 个。高等新增 202 个音节不再细分级别。

3. 每一级别音节表呈现本级新增音节，并在音节后配以本级别"代表字"，以便于查找使用；按音序排列的音节表，标注了音节代表字及所在等级。个别音节有相同的代表字，如"zhòng"和"chóng"，代表字均为"重"，因为这两个音节所在级别均只有这一个汉字可供选择。

五 关于《标准》汉字表的说明

1.《标准》汉字表共收录 3000 个汉字，与《等级划分》3000 字完全一致。初等 900 字、中等新增 900 字、高等新增 1200 字分别与《等级划分》普及化等级、中级、高级及高级"附录"三大等级汉字数量对应，但对少数汉字（约 80 个）所在等级进行了调整。

2. 同时参考教育部中外语言交流合作中心的"国际中文教材编写指南"中字词频率统计、高频汉字表，以及国家语言文字工作委员会"现代汉语语料库"（2015）、《汉字应用水平等级及测试大纲（修订版）》（2016）、《中国语言生活状况报告》（2011—2019）等多种类型的资料，根据汉字的流通度、构词能力、书写难易度、文化内涵等因素，将初等和中等 1800 个汉字均分到一——六级，每级 300 字。高等新增 1200 字不再细分级别，其中有 29 个字是交际中常用的地名和姓氏用字。

3. 根据音节对应汉字的情况，将 3000 个汉字按 1110 个音节分级排列，形成分级同音字表，以方便读者了解音节、汉字的等级，以及同音字和多音字的情况。

4.《标准》提出"汉字认读与手写适度分离、手写汉字从少到多有序推进"的开放性、包容性新路向，将手写汉字表单独列出，共收录 1200 个汉字，含初等汉字表全部 900 字和从中等汉字表中选取的 300 字。根据汉字常用度、构词能力、构形特点和书写难易度等，将这 1200 字分为初、中、高三等，分别为 300 字、400 字、500 字。

六 关于《标准》词汇表的说明

（一）收录词语

1.《标准》词汇表共收录 11092 个词语，其中初等 2245 个、中等新增 3211 个、高等新增 5636 个，与《等级划分》普及化等级、中级、高级及高级"附录"三大等级的数量完全一致。

2. 参考《等级划分》普及化等级分档分层词汇表（2010）、"国际中文教材编写指南"高频词表、国家语言文字工作委员会"现代汉语语料库"（2015）、《义务教育常用词表（草案）》（2019）、《中国语言生活状况报告》（2011—2019）及《HSK 考试大纲》词汇表（2015）等相关资料，将初等和中等5456个词语根据词汇难度及使用频率，细分为一——六级，每级词汇量分别为500个、772个、973个、1000个、1071个、1140个。高等新增5636个词语不再细分级别。

3. 对少数词语（约350个）在《等级划分》中所在等级进行了调整，跨等调整的词语主要集中在初等和中等。初等出现的难度较大的连词、介词等向中等调整（如"不管""将""依据"等）；中等出现的较简单的名词、动词等调整到初等（如"搬家""动物园""饭馆""感冒""姓名"等）；注重体现书面语与口语的区别，相对口语化的词语在初等出现，书面色彩较强的词语则在中、高等出现（如"饭店""酒店""书店"出现在初等，"旅店"出现在中等，"连锁店""专卖店"出现在高等）；成语、习用语（如"耳目一新""废寝忘食""马后炮"）等也集中在高等出现。

4. 结合教学和使用实际情况，删掉了《等级划分》中的部分词语（约50个），其中包含一些现代社会生活中已不再常见和常用的词语（如"包干儿""大锅饭""公用电话""托儿所"等），相应补充了现代日常生活中常用的、代表新生事物的词语（如"大数据""二维码""人工智能""外卖""微信""正能量"等）。

5. 对《等级划分》中一些分列词条的兼类词进行了适当合并，如原来作为两个词条出现的"方（形）"和"方（名）"合并为一个词条，并在后面标注两个词性"方（形、名）"；原来作为两个词条出现的"根本（名、形）"和"根本（副）"合并为一个词条，并在后面标注三个词性"根本（副、形、名）"。

6.《等级划分》中个别词条的不同词性或读音不同或意义有别，对这类词条进行了拆分。如作为一个词条出现的"编辑（动、名）"，因不同词性读音不同，将其分列为两个词条，分别为"编辑（动）biānjí"和"编辑（名）biānji"。

7. 在同一级别出现的音同形同而义不同的词语，若词性不同，且词义区分明显，则分立词条仅用数字角标加以区分，如二级词"省（名）"和"省（动）"，标注为"省[1]"和"省[2]"；若词性相同，且词义区分不明显，则分立词条用数字角标区分，并在词条后括号内加注例词，如：二级词"面（名、量）"和"面（名）"，标注为"面[1]（见面）"和"面[2]（面条儿）"。

8. 根据国家语言文字规范及《现代汉语词典（第7版）》《现代汉语规范词典（第3版）》等，对部分词语的书写形式进行了调整，如将"看做"改为"看作"、"拉拉队"改为"啦啦队"、"下工夫"改为"下功夫"、"执著"改为"执着"等。

（二）词语拼音

词汇表中词语拼音的拼写原则主要以《等级划分》为依据，同时参考国家语言文字规范及《现代汉语词典（第7版）》《现代汉语规范词典（第3版）》等，具体如下：

1. 必读轻声的音节不标声调，如"包子"标音为"bāozi"。

2. 一般轻读、间或重读的字，注音时标声调，同时在该字的拼音前加上圆点，如"道理"标音为"dào·lǐ"。

3. 儿化音采用基本形式后面加"r"的方式，如"玩儿"标音为"wánr"。

4. "一、不"注音时标变调,如"一样"标音为"yíyàng"、"不必"标音为"búbì"。

5. 离合词的两个音节用"//"隔开,如"见面"标音为"jiàn // miàn";若既为离合词,又有轻读、间或重读的字,则分别标注,如"值得"标音为"zhí // ·dé"。

6. 专有名词的首字母大写,如"中国"标音为"Zhōngguó";由几个词组成的专有名词,每个词的首字母大写,如"端午节"标音为"Duānwǔ Jié"。

7. 短语、习用语及一些常用结构,拼音按词分写,如"不耐烦"标音为"bú nàifán"。

8. 成语及四字短语等依据国家语言文字规范,根据词语的内部结构,或两两连写,中间加连接号"-",如"半信半疑 bànxìn-bànyí";或全部连写,如"爱不释手 àibúshìshǒu";或各字拼音间加连接号"-",如"衣食住行 yī-shí-zhù-xíng"。

(三)词类标注

1. 词类划分主要参考《现代汉语词典(第7版)》,同时兼顾国际中文教学特点,共分为12类:名词、动词、形容词、数词、量词、代词、副词、介词、连词、助词、叹词、拟声词。

2. 词汇表只标注词语的常用词性,如果一个词具有两个或两个以上的词性,则按照使用频率标注不同的词性,使用频率高的词性在前,使用频率低的词性在后。如一级词"包",词性依次标为"名、量、动"。词性标注一般不超过三个。

3. 以下四类词语不标注词性:(1)离合词;(2)成语、习用语;(3)为方便教学而整体选入的常见、常用结构,如"打交道";(4)数量结构,如"一些"。

(四)其他符号

1. "|"表示前后两种形式都可以。如"爸爸|爸",表示"爸爸"或者"爸"都可以。

2. "( )"表示三种情况:第一种情况为词缀的例词,如"初(初一)",括号中的例词用仿宋字体表示;第二种情况为词语中可以省略的内容,如"好(不)容易",也可以说"好容易",括号中的文字用宋体表示;第三种情况为词语的义项说明,如"称"在二级和五级都出现了,二级为"称(称一称)",五级为"称(称为)",括号中的义项说明用楷体表示。

3. 带"儿化音"的词语在本词后加注小号字"儿",如"玩儿"。

七 关于《标准》附录A(规范性)语法等级大纲的说明

1. 语法等级大纲是具有开创性的实践,主要以《汉语水平等级标准与语法等级大纲》(1996)为依据,同时参考了《对外汉语教学语法大纲》(1995)、《国际汉语教学通用课程大纲》(2014)、《HSK考试大纲》(2015)等资料,并结合国际中文教育70年教学经验和教学语法研究成果,经过反复权衡、仔细对比筛选而成。

2. 语法等级大纲精选了572个语法点,有机融入到初、中、高三等。初等语法点总量为210个,内部细分为三级,对应《标准》一——三级,语法点数量分别为48个、81个、81个;中等新增语法点总量为214个，内部细分为三级，对应《标准》四—六级，语法点数量分别为76个、71个、67个；高等新增语法点总量为148个，内部不再细分级别。

3. 语法等级大纲共12大类语法项目，包括语素、词类、短语、固定格式、句子成分、句子的类型、动作的态、特殊表达法、强调的方法、提问的方法、口语格式、句群。在具体语法项目的提取与整合方面，突出针对性和实用性，对语素、短语、句子成分、句子的类型等语法项目简略呈现，而对意义相对较"虚"、学习者不易理解和掌握的语法项目（如词类）作为重点呈现。另外，特殊表达法、提问的方法、口语格式等教学重点与难点也是语法等级大纲的重要内容。

4. 为便于读者理解，语法等级大纲呈现语法点时，力求形成一套系统的语法符号体系。

（1）语法结构公式中涉及词性的表述时，用"动词""形容词"等文字表述，如"主语＋把＋宾语＋动词＋在／到＋处所"。

（2）使用"A、B"表示词语重叠、句式中前后相同的两项以及四字格和固定格式中性质相同的两项，如：①"ABAB"表示动词的重叠，可以说"介绍介绍"；②"A比B＋形容词"表示比较的对象，可以说"我朋友比我高"；③"大A大B"表示性质相同的两项，可以说"大吃大喝""大吵大闹"。

（3）使用"X、Y"表示口语格式中可以替换的成分，如"什么X的Y的"，可以说"什么你的我的""什么好的坏的"。

5. 为便于读者使用，每个语法点前既标示了总体的序号，也在方括号中标示了该语法点所在级别的序号。每个语法点均配有从不同角度展示用法的典型例句，例句用词均在本等级词汇表内。

附录 A（规范性）语法等级大纲

初等（210个）

一级语法点（48个）

一、词类

（一）名词

1【一01】**方位名词**：上、下、里、外、前、后、左、右、东、南、西、北；上边、下边、里边、外边、前边、后边、左边、右边、东边、南边、西边、北边

  桌子上 树下 房间里 门外 楼前 门后

  桌子上边 书包里边 饭店的前边 图书馆的北边 东边的车站 南边的房子

  书在桌子上。

  手机在书包里。

  房间里没有人。

  他去东边的车站。

（二）动词

2【一02】**能愿动词**：会、能

  我不会说中文。

  明天你能来吗？

3【一03】**能愿动词**：想、要

  我想学中文。

  他要去书店。

（三）代词

4【一04】**疑问代词**：多、多少、几、哪、哪儿、哪里、哪些、什么、谁、怎么

  他多大？

  你们班有多少个学生？

  现在几点？

  你喜欢哪个电影？

  你们去哪儿？

  车站在哪里？

  你们班有哪些国家的学生？

  你买什么？

  谁是老师？

  你怎么去医院？

5【一05】**人称代词**：我、你、您、他、她、我们、你们、他们、她们

  你好，我要两个本子。

  您好！

  他想喝水。

她很高。

我们去书店，你们去哪儿？

他们是学生。

她们是我的同学。

6【一06】指示代词：这、那、这儿、那儿、这里、那里、这些、那些、别的、有的

这是谁的手机？

她喜欢那个书包。

这儿很好。

我去那儿学习。

你坐这里，弟弟坐那里。

这些书很新。

那些东西都很贵。

你还要别的东西吗？

有的同学在休息，有的同学在看书。

(四) 数词

7【一07】一、二/两、三、四、五、六、七、八、九、零；十、百；半

五　十五　一百一十五　六　二百六（十）　二百零六

十二　二十　二百　两百

两个人　两本书

八点半　半个小时

(五) 量词

8【一08】名量词：杯、本、个、家、间、口、块、页

两杯牛奶　三本书　四个学生　五家商店　六间房子

三口人　七块面包

(六) 副词

9【一09】程度副词：非常、很、太、真、最

我非常喜欢这本书。

那个本子很好看。

这里太冷了。

你的房间真干净！

我最喜欢打球。

10【一10】范围、协同副词：都[1]、一块儿、一起

同学们都很认真。

我们常一块儿玩儿。

明天他们一起去图书馆。

11【一11】时间副词：马上、先、有时、在、正、正在

医生马上来。

老师，我先说吧。

他有时晚上上课。

我在看电视呢。

你等一下儿，他正吃饭呢。

他们正在唱歌。

12 【一12】**频率、重复副词：常、常常、再**[1]

他常去饭店吃饭。

她常常不吃早饭。

今天的电影太好看了，我们明天再去看吧。

13 【一13】**关联副词：还**[1]**、也**

他要去上海，还要去北京。

他是学生，我也是学生。

14 【一14】**否定副词：别、不、没、没有**

你别进来。

今天不热。

他昨天没上课。

我今天没有吃早饭。

（七）介词

- 引出时间、处所

15 【一15】**从**[1]

我们从星期一到星期五工作。

你从哪儿来？

16 【一16】**在**

哥哥在北京学中文。

他在手机上看电影。

- 引出对象

17 【一17】**跟**[1]**、和**[1]

他跟老师请假了。

我没和姐姐一起去中国。

18 【一18】**比**

哥哥比弟弟高。

这个房间比那个房间大。

（八）连词

19 【一19】**连接词或短语：跟**[2]**、还是、和**[2]

爸爸跟妈妈都不在家。

你喝茶还是喝水？

我和弟弟都学习中文。

（九）助词

20 【一20】**结构助词：的**[1]**、地**

你的衣服很好看。

他高兴地说："我明天回家。"

21 【一-21】**动态助词：了¹**

　　他买了一本书。/ 他没买书。

　　我写了两个汉字。/ 我没写汉字。

22 【一-22】**语气助词：吧¹、了²、吗、呢**

　　我们走吧。

　　我累了。

　　她是医生吗？

　　他是哪国人呢？

　　我在看书呢。

二、短语

（一）结构类型

23 【一-23】**数量短语**

　　一个　　两杯　　三本　　四包　　五块

三、句子成分

（一）主语

24 【一-24】**名词、代词或名词性短语作主语**

　　衣服很好看。

　　他在看电视。

　　这个房间很干净。

（二）谓语

25 【一-25】**动词或动词性短语、形容词或形容词性短语作谓语**

　　他病了。

　　我们学中文。

　　今天不冷。

　　这个菜很好吃。

（三）宾语

26 【一-26】**名词、代词或名词性短语作宾语**

　　他吃面包。

　　妈妈来看我了。

　　她买了一个手机。

（四）定语

27 【一-27】**名词性词语、形容词性词语、数量短语作定语**

　　他在看中文书。

　　新书包很好看。

　　我喜欢干净的房间。

　　她看了两本书。

（五）状语

28【一28】副词、形容词作状语；表示时间、处所的词语作状语

他不吃包子。

这个房间非常干净。

你认真写！

他十点睡觉。

我们下午去吧。

她在网上买了两本书。

哥哥从北京回来了。

四、句子的类型

（一）句型

• 单句

29【一29】主谓句1：动词谓语句

我买一个面包。

他不去医院。

30【一30】主谓句2：形容词谓语句

房间很干净。

这个学生最认真。

31【一31】非主谓句

下雨了。

车！

※ 复句（见"（四）复句"）

（二）句类

32【一32】陈述句

妈妈做晚饭。

我不喜欢看电视。

33【一33】疑问句

（1）是非问句

他是老师吗？

那儿现在热吗？

（2）特指问句

谁跟你一起去书店？

你想买什么？

（3）选择问句

你爸爸是老师还是医生？

你们坐火车去还是坐飞机去？

（4）正反问句

　　你喝不喝牛奶？

　　你吃没吃早饭？

　　你吃早饭了没有？

　　今天冷不冷？

　　这个房间干净不干净？

34【一34】祈使句

　　请进！

　　别说了！

35【一35】感叹句

　　今天太热了！

　　这水果真好吃！

（三）特殊句型

36【一36】"是"字句

（1）表示等同或类属

　　他是我的老师。

　　这是他的书。

（2）表示说明或特征

　　花是白的。

　　衣服是干净的。

（3）表示存在

　　车站东边是一个学校。

　　教学楼西边不是图书馆。

37【一37】"有"字句1

（1）表示领有

　　我有很多书。

　　他没有哥哥。

　　一个星期有七天。

（2）表示存在

　　房间里有两张桌子。

　　房间里没有桌子。

38【一38】比较句1

（1）A 比 B + 形容词

　　我朋友比我高。

　　这个手机比那个贵。

（2）A 没有 B + 形容词

　　昨天没有今天热。

　　这个书包没有那个好看。

（四）复句

39【一39】并列复句

（1）不用关联词语

我喜欢看电视，弟弟喜欢打球。

他有一个哥哥，没有姐姐。

（2）用关联词语：一边……，一边……；……，也……

他一边走路，一边唱歌。

哥哥一边看电视，一边吃东西。

我喜欢唱歌，弟弟也喜欢唱歌。

这个房间很大，也很干净。

五、动作的态

40【一40】变化态：用语气助词"了²"表示

她病了。/ 她没病。

雨小了。/ 雨没小。

他吃早饭了。/ 他没吃早饭。

41【一41】完成态：用动态助词"了¹"表示

他买了两个面包。/ 他没买面包。

我喝了很多水。/ 我没喝水。

42【一42】进行态

（1）……在 / 正在 + 动词

孩子在睡觉，你别说话。

外边正在下雨。

（2）……在 / 正 / 正在 + 动词……+ 呢

你等一下儿，他在打电话呢。

老师进来的时候，我正听歌呢。

同学们正在考试呢。

（3）……呢

我没看电视，看书呢。

甲：你在做什么？

乙：我洗衣服呢。

六、特殊表达法

（一）数的表示法

43【一43】钱数表示法

九块三（毛）（9.30元）

十五块六毛三（分）（15.63元）

二十五块零八（分）（25.08元）

一百五十（元）　一百五十（块）（150元）

一百零五（元）　一百零五（块）（105元）

（二）时间表示法

44【一44】时间表示法

（1）年、月、日、星期表示法

2020年12月25日

七月十号

星期一　星期二　星期三　星期四　星期五　星期六　星期日/星期天

（2）钟点表示法

两点（2:00）

两点二十五（分）（2:25）

三点零五（分）（3:05）

五点半（5:30）

差两分八点（7:58）

七、提问的方法

45【一45】用"吗"提问

他是老师吗？

这包子好吃吗？

46【一46】用"多、多少、几、哪、哪儿、哪里、哪些、什么、谁、怎么"提问

你哥哥多大？

车上有多少个人？

你家有几口人？

她是哪国人？

我们在哪儿见面？

你去哪里了？

你看了哪些书？

你星期天做什么？

谁要喝茶？

这个字怎么读？

47【一47】用"还是"提问

她妈妈是老师还是医生？

你喝水还是喝牛奶？

48【一48】用正反疑问形式提问

这本书贵不贵？

电影好看不好看？

你吃不吃包子？

他去没去图书馆？

他回家了没有？

你饿了没有？

二级语法点（81个）

一、词类

（一）动词

49【二01】能愿动词

（1）可能

他可能出去了。

我今天不可能写完这么多作业。

（2）可以

老师，我可以进来吗？

这儿不可以停车。

（3）会

明天会下雨。

他不会参加今天的活动。

50【二02】能愿动词：该、应该

你该吃药了。

你们应该去检查一下儿身体。

51【二03】能愿动词：愿意

她很愿意帮助同学。

我不愿意去外地工作。

52【二04】动词重叠：AA、A一A、A了A、ABAB

我能用用你的手机吗？

你想一想这个字的意思。

他看了看我，没说话。

请介绍介绍你的朋友。

（二）代词

53【二05】疑问代词：多久、为什么、怎么样、怎样

你多久去一次超市？

你为什么不去上课？

爸爸的身体怎么样？

这个字怎样写？

54【二06】人称代词：别人、大家、它、它们、咱、咱们、自己

我想听听别人的意见。

大家一起唱歌吧。

那个书包很好看，我喜欢它的颜色。

我家有猫有狗，它们都是我的朋友。

咱一起走吧。

明天咱们去动物园，怎么样？

你一定要相信自己。

自己的事自己做。

55【二07】指示代词：那么、那样、这么、这样

你女朋友有她那么漂亮吗？

筷子不能那样拿。

他哥哥有你这么高。

这个汉字这样写。

(三) 形容词

56【二08】形容词重叠：AA、AABB

那个女孩儿高高的个子，大大的眼睛，非常漂亮。

这个房间干干净净的。

他们都高高兴兴地回家了。

(四) 数词

57【二09】千、万、亿

一千三百五十二　　三千五（百）　　三千零五十　　三千零五

两万一千四百六十五　　五万六（千）　　五万零六百　　五万零六

四亿五千万　　四亿五千六百七十二万

※ 序数词（见【二72】"序数表示法"）

(五) 量词

58【二10】名量词：层、封、件、条、位

两层楼　　一封信　　一件衣服　　一条河　　一位老师

59【二11】动量词：遍、次、场、回、下

看两遍　　去一次　　哭一场　　来两回　　打一下儿

60【二12】时量词：分钟、年、天、周

十分钟　　两年　　五天　　三周

(六) 副词

61【二13】程度副词：多、多么、好、更、十分、特别、挺、有（一）点儿

这孩子多可爱啊！

那些花多么漂亮啊！

这个教室好大啊！

他很高，他弟弟更高。

这包子十分好吃。

王老师的儿子特别可爱。

那儿挺安静的。

今天天气有（一）点儿热。

62【二14】范围、协同副词：全、一共、只

同学们全来了。

我们班一共有二十人。

卡里只有二百块钱。

63 【二15】**时间副词：刚、刚刚、还²、忽然、一直、已经**
　　我刚从学校回到家。
　　白老师刚刚从国外回来。
　　外边还在下雨呢。
　　街上的灯忽然都亮了。
　　她一直在说话。
　　校长已经下班了。

64 【二16】**频率、重复副词：重新、经常、老、老是、又**
　　这篇作文我要重新写一遍。
　　我经常看见他在图书馆学习。
　　这个汉字有点儿难，我老写错。
　　这个月北京老是下雨。
　　我们队又进了一个球。

65 【二17】**关联副词：就¹**
　　如果明天天气好，我就去爬山。
　　你有时间的话，我们就一起出去走走吧。

66 【二18】**方式副词：故意**
　　说话的时候，他故意提高声音，这样大家都能听见。
　　我不是故意弄坏电脑的。

67 【二19】**情态副词：必须、差不多、好像、一定、也许**
　　要取得好成绩，大家必须努力学习。
　　机票差不多要两千块钱。
　　今天好像要下雨。
　　你到北京以后，一定要去看看王老师。
　　我今年也许会去中国学习中文。

68 【二20】**语气副词：才¹、都²、就²、正好**
　　我今天八点才起床。
　　她一百块钱才买了两本书。
　　都十二点了，我们该睡觉了。
　　班长七点半就到教室了。
　　他一遍就听懂了这个很长的句子。
　　今年我的生日正好是星期天。

（七）介词

- 引出时间

69 【二21】**当**
　　当他进来的时候，我们正在看电视。
　　当爸爸回来的时候，妈妈已经做好晚饭了。

- 引出方向、路径

70 【二22】**往**
　　你往左走，就能看见洗手间。

你往前走一百米就到了。

71【二23】向[1]

你向西边看，看见西山了吗？

他向图书馆走去了。

72【二24】从[2]

你从这儿走，五分钟就到书店了。

这路公交车从我们学校门口过。

- 引出对象

73【二25】对

她对顾客非常热情。

这件事你对他说了吗？

74【二26】给

我晚上要给女朋友打电话。

她后天过生日，我们给她送什么礼物呢？

75【二27】离

这儿离车站有点儿远。

现在离放假有一个星期的时间。

- 引出目的、原因

76【二28】为[1]

为大家的健康干杯！

我们都为你的好成绩高兴。

（八）连词

77【二29】**连接词或短语：或、或者**

星期天我想去看电影或听音乐会。

我下午去打球或者去爬山。

78【二30】**连接分句或句子：不过、但、但是、而且、那、如果、虽然、只要**

现在已经是冬天了，但北京还不太冷。

你不去，那我就一个人去。

（"不过、但是、而且、如果、虽然、只要"例句参见复句部分）

（九）助词

79【二31】**结构助词：得**

他走得有点儿快。

她篮球打得很不错。

80【二32】**动态助词：过**

我去过一次中国。/我没去过中国。

他学过一点儿中文。/他没学过中文。

81【二33】**动态助词：着**

门关着。/门没关着。

电视开着呢。/电视没开着。

他穿着一件黑大衣。

孩子们在教室里高兴地唱着歌。

82【二34】**语气助词：啊¹、吧²、的²**
　　今天真冷啊！
　　您是老师吧？
　　我是昨天来的。

83【二35】**其他助词：的话、等**
　　你要来的话，就给我打个电话，我去接你。
　　我去超市买了很多东西，有酒、水果、牛奶等。

（十）叹词

84【二36】**喂**
　　喂，是王老师吗？
　　喂，您找哪位？

二、短语

（一）结构类型

85【二37】**基本结构类型**
　（1）联合短语
　　　北京上海　　我和他　　又大又干净　　去不去
　（2）偏正短语
　　　新衣服　　学校的图书馆　　认真学习　　特别开心
　（3）动宾短语
　　　买东西　　吃水果　　学习中文　　进教室
　（4）动补短语
　　　听清楚　　走来　　说得很高兴　　听两遍
　（5）主谓短语
　　　我休息　　他出国　　教室很大　　学习认真

86【二38】**其他结构类型1**
　（1）"的"字短语
　　　我的　　黑色的　　新的　　吃的　　他买的
　（2）连谓短语
　　　去买东西　　哭着说　　坐飞机去北京　　去图书馆借书

（二）功能类型

87【二39】**名词性短语**
　　　新书　　我的衣服　　中文水平　　一条河　　两本　　这件

88【二40】**动词性短语**
　　　买水果　　写完　　拿出来　　常常休息　　可以去

89【二41】**形容词性短语**
　　　很舒服　　非常高兴　　大一点儿　　又漂亮又可爱

（三）固定短语

• 其他

90【二42】**不一会儿**
　　今天的作业我不一会儿就做完了。
　　我们走到车站，不一会儿，公交车就来了。

91【二43】什么的
考试前多做点儿练习什么的。
我去超市买了一些水果、面包什么的。

92【二44】越来越
天气越来越热了。
我越来越喜欢学习中文。

三、固定格式

93【二45】还是……吧
打车太贵了，你还是坐地铁吧。
外边下雨了，我们还是在房间看电视吧。

94【二46】又……又……
这个饭馆的菜又好吃又便宜。
这球鞋又贵又不好看。

95【二47】(在)……以前/以后/前/后
在来中国以前，我只学过一点儿中文。
吃完午饭以后，我常常会睡一会儿。
你运动前应该活动一下儿身体。
我明天下课后就去你那儿。

四、句子成分

(一) 谓语

96【二48】名词、代词、数词或数量短语、名词性短语作谓语
今天晴天。
明天星期五。
这儿怎么样？
他四十，女儿十六。
这本中文书二十五块。
我北京人，今年二十五岁。
她高个子，黄头发，很漂亮。

(二) 补语

97【二49】结果补语1：动词 + 错/懂/干净/好/会/清楚/完
写错　看懂　洗干净　做好　学会　听清楚　吃完
你写错了两个汉字。
这个句子我没看懂。
衣服我洗干净了。
这道题你学会了没有？
这道题我没学会。
你听清楚老师的话了吗？
老师的话我听清楚了。

98【二50】**趋向补语1**

简单趋向补语的趋向意义用法

（1）动词+来/去

你看，他向这边走来了。

甲：这件礼物怎么给他？

乙：你给他带去吧。

我明天带一个相机来。

他昨天带来了一个相机。

甲：你的词典呢？

乙：不好意思，我没拿来。

（2）动词+上/下/进/出/起/过/回/开

你爬上十九楼了没有？

我没爬上十九楼，到十楼就不行了。

爸爸从车上拿下电脑，放回房间。

妈妈走上二楼，从包里拿出一封信。

车开进学校了，我们快过去吧。

你打开包给我看看。

99【二51】**状态补语1：动词+得+形容词性词语**

她跑得不快。

我们玩儿得很高兴。

他睡得有点儿晚。

100【二52】**数量补语1：动词+动量补语**

我去过一次。

我们休息一下儿。

101【二53】**数量补语2：形容词+数量补语**

我比弟弟大两岁。

昨天很热，今天凉快一点儿。

她的中文比我流利一些。

五、句子的类型

（一）句型

102【二54】**主谓句3：名词谓语句**

明天阴天。

他中国人。

现在八点二十分。

（二）特殊句型

103【二55】**"有"字句2**

（1）表示评价、达到

他有一米八高。

他有三十多岁。

（2）表示比较（见【二58】"比较句2-（4）"）

104【二56】**存现句1：表示存在**

（1）处所+是（+数量短语）+名词（见【一36】"'是'字句（3）"）

（2）处所+有+数量短语+名词（见【一37】"'有'字句1-（2）"）

（3）处所+动词+着（+数量短语）+名词

桌子上放着一本词典。

教室前边站着一位老师。

桌子上放着书、笔和本子。

105【二57】**连动句1：表示前后动作先后发生**

他开门出去了。

我们吃完饭去图书馆吧。

106【二58】**比较句2**

（1）A比B+形容词+数量补语

姐姐比我大两岁。

房间外边比里边凉快一些。

（2）A比B+更/还+形容词

他的手机比我的更贵。

今天比昨天还凉快。

（3）A不如B（+形容词）

我的中文成绩不如班长。

火车不如飞机快。

（4）A有B（+这么/那么）+形容词

你哥哥有你高吗？

她家的院子有篮球场那么大。

107【二59】**比较句3**

（1）A跟B一样/相同

我的爱好跟姐姐一样。

他的想法跟我相同。

哥哥的手机跟我的不一样。

我跟她一样，都是这个学校的学生。

（2）A跟B一样+形容词

姐姐跟妹妹一样可爱。

哥哥和弟弟不一样高。

108【二60】**"是……的"句1：强调时间、地点、方式、动作者**

我是昨天到北京的。

他是在网上买的手机。

我们是坐飞机来的。

这件事是老师告诉我的。

109【二61】双宾语句

（1）主语 + 动词 + 宾语1 + 宾语2

我给妹妹一本书。

爸爸送我一辆汽车。

（2）主语 + 动词 + 给 + 宾语1 + 宾语2

朋友借给我一千块钱。

姐姐送给我一个手机。

（三）复句

110【二62】承接复句

（1）不用关联词语

吃了晚饭，我们出去走走。

他回房间拿了衣服，去教室上课了。

（2）用关联词语：先……，再/然后……

你先去超市买东西，再回家。

我先去吃午饭，然后回房间休息。

111【二63】递进复句

（1）不用关联词语

那个地方我去过了，去过两次了。

他弟弟会说中文，说得很流利。

（2）用关联词语：……，更/还……；不但……，而且……

昨天很冷，今天更冷了。

班长学习很好，还经常帮助同学。

她不但会说中文，而且说得很好。

112【二64】选择复句

（1）不用关联词语

这次旅行你坐火车，坐飞机？

我们星期六去，星期天去？

（2）用关联词语：（是）……，还是……

你是坐火车来的，还是坐飞机来的？

周末你们想去打排球，还是想去打篮球？

113【二65】转折复句

（1）不用关联词语

这件衣服样子不错，有点儿贵。

这次去饭店，我们花钱不多，吃得很不错。

（2）用关联词语：虽然……，但是/可是……；……，不过……

那个公园虽然不大，但是非常漂亮。

虽然明天可能下雨，可是我还是想去那儿看看。

这个房间不太大，不过住着很舒服。

114 【二66】**假设复句**

(1) 不用关联词语

明天下雨，我们在家休息。

明天不下雨，我们出去玩儿。

(2) 用关联词语：如果……，就……；……的话，就……

如果你下午有时间，我们就一起去超市吧。

明天天气不好的话，我就不去公园了。

115 【二67】**条件复句：只要……，就……**

只要你认真学习，就一定能取得好成绩。

只要你通过这次考试，我就送你一件礼物。

116 【二68】**因果复句**

(1) 不用关联词语

我今天太忙了，午饭都没吃。

那个学生病了，没来上课。

(2) 用关联词语：因为……，所以……

因为很累，所以我今天不想做饭了。

因为明天有考试，所以我想早一点儿睡觉。

117 【二69】**紧缩复句：一……就……**

他一起床就去洗脸。

我一喝酒就脸红。

六、动作的态

118 【二70】**持续态：动词+着**

(1) 表示状态的持续

灯一直亮着。/ 灯没亮着。

电脑开着。/ 电脑没开着。

(2) 表示动作的持续

外边下着雪呢。/ 外边没下雪。

他们说着、笑着，不一会儿就到学校了。

119 【二71】**经历态：用动态助词"过"表示**

他学过中文。/ 他没学过中文。

我吃过饺子。/ 我没吃过饺子。

七、特殊表达法

120 【二72】**序数表示法**

第一　　第三　　第七　　二楼　　三层

13号楼　　205房间　　302路公交车

121 【二73】**概数表示法1**

(1) 数词+多+量词

三十多本　　五十多斤

(2) 数词+量词+多

三块多　　四米多　　七斤多

八、强调的方法

122【二74】用"就"表示强调

教学楼就在前边。

你看，这就是我们上课的教室。

※ "是……的"表示强调（见【二60】"'是……的'句1"和【四42】"'是……的'句2"）

九、提问的方法

123【二75】用"好吗、可以吗、行吗、怎么样"提问

我们明天八点出发，好吗？

你明天早点儿来，可以吗？

你的词典借我用用，行吗？

我们今天吃面条儿，怎么样？

124【二76】用"什么时候、什么样、为什么、怎么样、怎样"提问

你们什么时候见面？

你喜欢什么样的朋友？

你为什么没去上课？

明天天气怎么样？

你明天怎样去学校？

125【二77】用"呢"构成的省略式疑问句"代词/名词＋呢？"提问

我去医院，你呢？

书在桌子上，笔呢？

126【二78】用"是不是"提问

你要去体育馆打球，是不是？

是不是你拿了我的笔？

你是不是有很多中国朋友？

127【二79】用"吧"提问

您是经理吧？

你以前学过中文吧？

十、口语格式

128【二80】该……了

十一点了，该睡觉了。

明天有听写，我该复习生词了。

129【二81】要/快要/就要……了

要下雨了。

我们快要放假了。

他们明天就要考试了。

三级语法点（81个）

一、语素

（一）前缀

130【三01】第－、老－、小－

第一　第三　老二　老王　小李　小王

（二）后缀

131【三02】－儿、－家、－们、－头、－子

画儿　空儿　画家　作家　朋友们　老师们　石头　里头　瓶子　屋子

二、词类

（一）动词

132【三03】**能愿动词：敢**

这儿有两米高，你敢跳下去吗？

我不敢在河里游泳。

133【三04】**能愿动词：需要**

她生病了，需要休息。

我们不需要买吃的，家里有很多。

134【三05】**动宾式离合词：**帮忙、点头、放假、干杯、见面、结婚、看病、睡觉、洗澡、理发、说话

他经常帮我的忙。

他点了一下儿头，表示同意。

我想放了假就去旅行。

来，我们一起干一杯。

来中国以后，我们只见过一次面。

结了婚以后，她就不工作了。

病人看完病就去取药了。

135【三06】**动补式离合词：**打开、看见、离开、完成

你的文件我打不开，你能再给我发一下儿吗？

黑板上的字很小，我们都看不见。

放心吧，孩子这么大，离得开妈妈了。

我们完不成这个任务。

（二）代词

136【三07】**疑问代词的非疑问用法**

（1）任指用法

①疑问代词 + 都

谁都喜欢她。

我吃什么都行。

你什么时候来都可以。

我哪儿都没去过。

你想怎么去都没问题。

②疑问代词＋疑问代词

你们随便吃，想吃什么吃什么。

谁想参加比赛谁就报名参加。

他们几点来就几点开始。

你怎么做，我就怎么做。

他们各做各的，谁也不帮谁。

（2）不定指用法

我好像在哪儿见过你。

你们先吃点儿什么再去公园吧。

要是你一个人搬不动，就请谁来帮一下儿吧。

137【三08】**指示代词**：各、各位、各种、每、任何

我们班的同学来自世界各国。

各位朋友，下午好！

这儿有各种颜色的花。

我每个星期天都去爬山。

我们任何时候都要注意保护环境。

(三) 量词

138【三09】**名量词**：把、行、架、群、束、双、台、张、支、只、种

一把椅子　　两行汉字　　一架飞机　　一群学生　　两束花　　一双球鞋

两台电脑　　一张桌子　　一支笔　　三只鸡　　两种颜色

139【三10】**动量词**：顿、口、眼

批评一顿　　喝一口　　看一眼

140【三11】**量词重叠**：AA

家家　　件件　　条条　　次次　　回回　　顿顿　　天天　　年年

(四) 副词

141【三12】**程度副词**：比较、更加、还[3]、相当

我比较喜欢游泳。

她以前学习就很努力，现在更加努力了。

这个房间不干净，那个房间还干净一些。

这个公园的景色相当漂亮。

142【三13】**范围、协同副词**：光、仅、仅仅、就[3]、至少

他每天光玩儿不学习。

今天来上课的仅有五个学生。

这次旅行仅仅花了三千块。

我们班就他知道这个消息。

我就拿了一支笔。

教室里至少有五十个人。

143【三14】**时间副词**：本来、才[2]、曾经、从来、赶紧、赶快、立刻、连忙、始终、已、早已

会议本来在星期一举行，但是现在改时间了。

他才起床，让我们等一下儿。

你怎么才来就要走？

我曾经学过一年中文。
他从来不喝酒。
听到这个消息，他赶紧跑回家去了。
听到有人叫他的名字，他赶紧开门。
他很不舒服，我们要赶快送他去医院。
经理来电话，叫我立刻去她的办公室。
看到一位老人上车，我连忙站起来让他坐。
她在中国留学的时候，始终坚持每天说中文。
我们已做好下个月的工作计划。
他早已离开北京了。

144【三15】**频率、重复副词：通常、往往、总、总是**
李经理通常很早就到公司。
为了记住一个汉字，他往往要写很多遍。
我总弄不明白什么时候用"把"字句，常常一说就错。
他去机场总是提前两个小时出发。

145【三16】**关联副词：再²**
我们做完作业再玩儿游戏。
你洗了手再吃水果。

146【三17】**方式副词：互相、尽量、亲自、相互**
大家要互相帮助。
志愿者要尽量自己克服困难。
校长亲自联系学生实习的公司。
我们要相互关心，相互照顾。

147【三18】**情态副词：大概、恐怕**
他病了，今天大概不会来上课了。
天这么阴，大概要下雨。
我头有点儿疼，恐怕是感冒了。
他出国恐怕已经有三年多了吧。

148【三19】**语气副词：白、并¹、当然、到底、反正、根本、果然、简直、绝对、难道、其实、千万、确实、只好、终于**
老师不在办公室，我白去了。
这次考试并没有他们说的那么简单。
学生当然应该做作业。
他到底是老师还是学生？
我不知道是谁做的，反正不是我做的。
她根本不相信我。
天气预报说要下雨，你看果然下了。
这纸花太漂亮了，简直跟真花一样。
他绝对不会干这种事，我相信他。
别人都能学会，难道我就学不会吗？
大家以为他回国了，其实他去南方旅行了。

你明天千万要早点儿回来。

这次情况确实非常紧急。

我生病了，只好跟老师请假。

他努力复习了一个月，终于顺利地通过了所有的考试。

(五) 介词

- 引出时间、处所

149【三20】**由**[1]

这路公交车由北京机场出发。

我们由南门进入公园。

150【三21】**自从**

自从修了公路，这儿的交通就方便多了。

自从来到中国，他就喜欢上了中国菜。

- 引出方向、路径

151【三22】**朝**

大门朝南开。

他朝左边看了一下儿。

他朝我大喊："小心！"

- 引出对象

152【三23】**为**[2]

妈妈每天为我们做饭。

他为我买了一束花。

153【三24】**向**[2]

我们要向班长学习。

如果不能来上课，你要向老师请假。

- 引出目的、原因

154【三25】**由于**[1]、**因为**

由于各种原因，大家没有接受他的意见。

他因为这件事一直不跟我说话。

155【三26】**为了**

妈妈为了健康坚持每天跑步。

他为了新工作不断学习新知识。

- 引出施事、受事

156【三27】**把、被、叫、让**

我看见你把手机放在书包里了。

裙子被我弄脏了。

手机叫我弄坏了。

我的车让朋友借走了。

- 表示排除

157【三28】**除了**

除了英文，他还会说中文。

除了他，我们都是留学生。

- 引出凭借、依据

158【三29】按、按照

房租按天或者按月计算。

他们按照地图找到了全部东西,顺利完成了任务。

(六)连词

159【三30】连接分句或句子:并且、不光、不仅、另外、要是、因此、由于[2]、只有

这星期我很忙,要上课,要准备考试,另外,还要参加一些学校活动。

这次晚会他们准备了很多吃的、喝的,另外,还准备了不少礼物。

("并且、不光、不仅、要是、因此、由于、只有"例句参见复句部分)

(七)拟声词

160【三31】哈哈

我还没进门就听到同学们哈哈的声音了。

听了他的话,我们都哈哈地笑了起来。

三、短语

(一)结构类型

161【三32】其他结构类型2

(1)介宾短语

在房间　从前边　往左　把他　按照规定

(2)方位短语

教室里　桌子上边　学校的东边　起床后　睡觉以前

(3)兼语短语

请他进来　叫他上车　通知他开会　建议大家休息

(4)同位短语

我的朋友小张　他妈妈李老师　游泳这种运动

162【三33】数量重叠:数词+量词+数词+量词

图书馆里放着一排一排的书架。

老师让学生两个两个地进教室。

妈妈一遍一遍地告诉我要注意安全。

日子一天一天过去了。

(二)固定短语

- 四字格

163【三34】不A不B

不大不小　不长不短　不冷不热　不多不少　不早不晚

- 其他

164【三35】看起来

这些苹果看起来很好吃。

她工作了一天,看起来有点儿累。

165【三36】看上去

这件衣服看上去很不错。

那沙发看上去非常结实。

166 【三37】**有的是**
  咱们图书馆有的是书,你可以多看看。
  这儿水果有的是,你多拿一点儿。

四、固定格式

167 【三38】**除了……(以外),……还/也/都……**
  除了上课,我还要参加各种活动。
  除了我,我姐姐和弟弟也会说中文。
  除了北京以外,中国的其他城市我都没去过。

168 【三39】**从……起**
  从现在起,你要努力学习了。
  从今天起,我就用这台新电脑了。

169 【三40】**对……来说**
  对日本留学生来说,汉字不太难。
  对专家来说,这个问题很容易解决。

170 【三41】**像……一样**
  他的中文很流利,简直像中国人一样。
  她的眼睛像星星一样亮。
  他跑得像风一样快。

171 【三42】**越……越……**
  中文越学越有意思。
  衣服的牌子越有名,价钱越贵。

五、句子成分

(一)主语

172 【三43】**动词或动词性短语、形容词或形容词性短语作主语**
  哭对身体有好处。
  早一点儿来比较合适。
  紧张有什么用?
  太冷了不好,太热了也不好。

(二)宾语

173 【三44】**动词或动词性短语、形容词或形容词性短语和主谓短语作宾语**
  我打算去上海。
  她喜欢安静。
  我感到不舒服。
  老师希望大家都能取得好成绩。

(三)定语

174 【三45】**动词或动词性短语、主谓短语作定语**
  你看见那个跳舞的女孩儿了吗?
  观看演出的观众请从右边的门进去。
  小白讲的故事很有意思。

（四）补语

175【三46】结果补语2：动词 + 到 / 住 / 走

他终于买到火车票了。

我把球传给他，可是他没接住。

那本书他取走了吗？

176【三47】趋向补语2

复合趋向补语的趋向意义用法：动词 + 出来 / 出去 / 过来 / 过去 / 回来 / 回去 / 进来 / 进去 / 起来 / 上来 / 上去 / 下来 / 下去

他从书包里拿了一本书出来。

他从书包里拿出一本书来。

他从书包里拿出来一本书。

他慢慢地走出教室去了。

汽车开过来了，咱们准备上车。

他在桥那边，我们走过去吧。

我昨天买回来了一些水果。

这儿离学校很近，我们走回去吧。

外边的桌子你搬进来了没有？

桌子我还没搬进来。

这些书不能放在外边，应该拿进去。

你站起来。

你的电脑拿上来了没有？

他突然跑上二楼去了。

他从二楼走下来了。

行李你帮我拿下去吧。

177【三48】可能补语1：动词 + 得 / 不 + 动词 / 形容词；动词 + 得 / 不 + 了

老师的话我都听得懂。

这件衣服太脏了，洗不干净了。

明天的比赛你参加得了吗？

我病了，明天上不了课。

178【三49】程度补语1：形容词 / 心理动词 + 得很 / 极了 / 死了

我累得很。

外面冷极了。

这个游戏孩子们喜欢极了。

他们今天忙死了。

179【三50】数量补语3（动词 + 动量补语）：宾语和动量补语共现

我找了他两次。

我来过中国一次。

我去过两次上海。

他读了三遍课文。

180【三51】数量补语4（动词+时量补语）：表示动作持续的时间
　　我学中文学了两年。
　　我学了两年中文。
　　我等他等了半个多小时。
　　我等了他半个多小时。
　　他游泳游了四十分钟。
　　他游了四十分钟的泳。

181【三52】数量补语5（动词+时量补语）：表示动作结束后到某个时间点的间隔时间
　　他们来中国两个月了。
　　哥哥去北京一个星期了。
　　我父母结婚二十年了。

六、句子的类型

（一）句型

182【三53】主谓句4：主谓谓语句
　　奶奶身体非常好。
　　这件衣服颜色很好看。
　　那本书我没看过。
　　这电影我看了三遍了。

（二）特殊句型

183【三54】"把"字句1：表处置
（1）主语+把+宾语+动词+在/到+处所
　　老师把书放在桌子上了。
　　我把朋友送到车站了。
（2）主语+把+宾语1+动词（+给）+宾语2
　　爸爸把新买的手机送妹妹了。
　　他们把作业交给老师了。
（3）主语+把+宾语+动词+结果补语/趋向补语/状态补语
　　你把书架上的书放整齐。
　　他把洗好的衣服拿回来了。
　　孩子们把手洗得干干净净的。
　　他把"找"写成了"我"。

184【三55】被动句1：主语+被/叫/让+宾语+动词+其他成分
　　那个手机早被我用坏了。
　　我的词典叫弟弟弄脏了。
　　他完全让这位姑娘迷住了。

185【三56】连动句2
（1）前一动作是后一动作的方式
　　他笑着说："没事儿。"
　　我明天坐飞机去北京。
（2）后一动作是前一动作的目的
　　他去超市买水果。
　　我来中国学习中文。

186【三57】**兼语句1**

　　　　表使令：主语 + 叫 / 派 / 请 / 让……+ 宾语1 + 动词 + 宾语2

　　　　经理叫他介绍一下儿中国市场情况。

　　　　公司派我来中国学习中文。

　　　　我请他去我家玩儿。

　　　　老师叫同学们回答问题。

187【三58】**比较句4**

　　（1）A 比 B + 动词 + 得 + 形容词

　　　　我比他跑得快。

　　　　我说中文比妹妹说得流利。

　　（2）A 不比 B + 形容词

　　　　我姐姐不比我高。

　　　　这个笔记本不比那个大。

　　（3）A + 动词 + 得 + 比 + B + 形容词

　　　　我跑得比他快。

　　　　姐姐中文说得比我流利。

　　（4）A 比 B + 多 / 少 / 早 / 晚 + 动词 + 数量短语

　　　　我比他多吃了五个饺子。

　　　　他比我少买一个苹果。

　　　　我比姐姐早回来十分钟。

　　　　哥哥昨天比前天晚睡半个小时。

188【三59】**重动句：主语 + 动词 + 宾语 + 动词 + 补语**

　　　　他打篮球打得很好。

　　　　她游泳游得很快。

　　　　她走路走累了。

　　　　我看电视看了两个小时。

（三）复句

• 并列复句

189【三60】**（也）……，也……**

　　　　篮球他喜欢，排球他也喜欢。

　　　　面条儿我也爱吃，米饭我也爱吃。

190【三61】**一会儿……，一会儿……**

　　　　最近天气有点儿奇怪，一会儿冷，一会儿热。

　　　　他们在晚会上一会儿唱歌，一会儿跳舞，玩儿得很开心。

191【三62】**一方面……，另一方面……**

　　　　我们一方面要看到他们的优点，另一方面也要指出他们的缺点。

　　　　他们在实习中一方面可以增加工作经验，另一方面可以学习新的知识。

192【三63】**又……，又……**

　　　　晚会上大家又唱歌，又跳舞，高兴极了。

　　　　这件衣服样子又好看，价格又便宜。

- 承接复句

193【三64】首先……，然后……

　　同学们首先读了一遍课文，然后认真地回答了黑板上的问题。

　　我们首先要找到科学的练习方法，然后坚持每天练习。

- 递进复句

194【三65】……，并且……

　　专家们对这个问题进行了讨论，并且提出了解决办法。

　　这种办法可以保存食物，并且能保存很久。

195【三66】不仅/不光……，还/而且……

　　那个地方我不仅去过，还去过好几次呢。

　　不光我会说中文，而且我姐姐也会说中文。

- 选择复句

196【三67】不是……，就是……

　　他不是在办公室，就是在实验室。

　　这些衣服都不合适，不是太大，就是太小。

- 转折复句

197【三68】……X 是 X，就是/不过……

　　这件衣服好看是好看，就是有点儿贵。

　　坐公交车方便是方便，不过人太多了。

- 假设复句

198【三69】要是……，就……

　　要是不开心，我就会大声唱歌。

　　要是你明天有时间，就跟我一起去长城吧。

- 条件复句

199【三70】只有……，才……

　　只有认真检查，我们才会发现问题、解决问题。

　　只有多听多说，你才能提高中文水平。

- 因果复句

200【三71】（由于）……，所以/因此……

　　由于身体不好，所以爸爸打算提前退休。

　　他工作很努力，因此取得了很大的成功。

- 目的复句

201【三72】为了……，……

　　为了保持健康，他每天坚持运动。

　　为了学好中文，我每天都要看中国电视剧。

- 紧缩复句

202【三73】……了……（就）……

　　他下了课就去图书馆。

　　他喝了酒就会脸红。

七、特殊表达法

203【三 74】概数表示法 2

（1）用"大概、大约、几"表示概数

这个手机大概两千块。

我的中文老师大约三十岁。

我上网买了几本书。

（2）相邻数词连用表示概数

三四（个）　　十五六（岁）　　七八十（个人）　　五六百（块钱）

（3）用"左右、前后"表示概数

三十岁左右　　八点左右　　春节前后　　五一前后

八、强调的方法

204【三 75】用"一点儿也不……"表示强调

中文一点儿也不简单。

这双球鞋穿着一点儿也不舒服。

205【三 76】用反问句表示强调

反问句 1：不是……吗？／难道……吗？

今天不是星期天吗？

难道你没去过长城吗？

206【三 77】用"是"强调

你说得对，这位经理是很负责。

我同意，那电影是很有意思。

九、提问的方法

207【三 78】用疑问语调表示疑问

今天是星期六？

你打算去旅行？

十、口语格式

208【三 79】都……了

都十一点了，你别看电视了。

都三天了，他怎么还没回来？

209【三 80】X 就 X（点儿）吧

慢就慢吧，他能完成任务就很不错了。

忙就忙点儿吧，我们过几天就能休息了。

210【三 81】X 什么（啊）

玩儿什么，我们赶快工作吧。

舒服什么啊，办公室空调坏了。

中等（新增214个）

四级语法点（76个）

一、词类

（一）动词

211【四01】**能愿动词：得**

今天下课我得早点儿回家。

时间不早了，我得回家了。

你再忙也得好好吃饭啊！

（二）代词

212【四02】**人称代词：人家**

人家也是为你好啊。

人家现在有困难，咱们应该帮他。

你看人家经常锻炼，身体多好。

（三）量词

213【四03】**名量词：打、袋、根、卷、棵、批**

一打啤酒　　一袋米　　一根头发　　一卷纸　　一棵树　　一批学生

214【四04】**借用量词**

（1）名量词：碗、脸、手、屋子、桌子

一碗汤　　一脸水　　一手油　　一屋子人　　一桌子书

（2）动量词：刀、针

切两刀　　打一针

（四）副词

215【四05】**程度副词：格外、极、极其**

老师今天格外开心。

这些字极小，我都看不清楚。

校长是一个极其负责的人。

216【四06】**范围、协同副词：共**

共有三十人出席会议。

这本书共十五课。

217【四07】**时间副词：按时、即将、急忙、渐渐、尽快**

你要按时吃药。

同学们即将毕业。

快上课了，他急忙跑进教室。

春天来了，天气渐渐暖和了。

你尽快给他回个电话。

218【四08】频率、重复副词：一再、再三

他一再表示自己不会出席这次会议。

我再三解释，他还是不相信。

219【四09】关联副词：却

我来了，他却没来。

同学们都出去活动了，他却坐在教室里面不动。

220【四10】否定副词：未必

这个消息未必可靠，咱们再等等吧。

别等了，他未必会来。

221【四11】情态副词：几乎、似乎

他的话我几乎都没听懂。

她似乎对自己的表现很不满意。

222【四12】语气副词：的确、反而、还[4]、竟然、究竟

这的确是我的错。

风不但没停，反而越来越大。

他还真有办法，问题马上就解决了。

这道题很简单，同学们竟然都做错了。

明天的晚会你究竟去不去？

（五）介词

- 引出时间、处所

223【四13】自

自1978年以来，中国发生了很大的变化。

我们的航班准时自北京出发。

- 引出对象

224【四14】对于

对于任何一种语言来说，文字的出现都是十分重要的。

对于美术和音乐，她很有研究。

对于这个问题，我们还得认真讨论。

225【四15】关于

我读了几本关于环境保护的书。

关于明天的考试，学校做了具体的规定。

这是一部关于战争的电影。

226【四16】替

你别替我担心了，我自己处理。

取得这么好的成绩，大家都替你感到高兴。

- 引出凭借、依据

227【四17】根据

学校根据学生的中文水平分班。

根据大家的意见，我们修改了计划。

228【四18】**作为**

他作为教师代表参加了这次会议。

作为学生，你应该按时完成作业。

（六）连词

229【四19】**连接词或短语：并^2、以及**

他们同意并支持我们的建议。

小王、小李以及另外三名同学都通过了考试。

230【四20】**连接分句或句子：此外、而^1、而是、既然、可见、甚至、假如、总之**

我们要认真听讲，此外还要积极完成作业。

为什么北方下雪越来越少，而南方下雪越来越多？

听说重要，读写也很重要，总之，这四项能力都很重要。

（"而是、既然、可见、甚至、假如"例句参见复句部分）

（七）助词

231【四21】**其他助词：似的**

她俩好像从来没见过似的。

这里的景色像画儿似的。

他的中文说得跟中国人似的。

（八）叹词

232【四22】**啊^2**

啊，你怎么在这里？

啊，我明白了。

啊！太美了！

二、短语

（一）固定短语

- **四字格**

233【四23】**大A大B**

你这大吃大喝的毛病对身体不好，一定要改改。

她心情不好，为一点儿小事就大吵大闹。

234【四24】**一A一B**

这是别人的东西，我们一针一线都不能拿。

他一五一十地把情况汇报给了老师。

- **其他**

235【四25】**看来**

看来他是个好人。

看来明天不会再下雨了。

看来这次考试他能通过。

236【四26】**来得及／来不及**

你别着急，时间来得及。

现在刚六点半，你马上去还来得及。

来不及了，我们快走吧。

时间还早，不会来不及的。

237 【四 27】**说不定**
　　下雨了，说不定他今天不来了。
　　这件事说不定就是他干的。
　　今年能不能去中国现在还说不定。

238 【四 28】**一般来说**
　　一般来说，选手参加了比赛是不能退出的。
　　一般来说，这么重要的场合他是不会迟到的。
　　一般来说，跟青年人相比，老年人的经验更丰富。

三、固定格式

239 【四 29】**一 + 量词 + 比 + 一 + 量词**
　　这些球鞋一双比一双好看。
　　他的演出一次比一次精彩。
　　天气一天比一天暖和。

240 【四 30】**（自）……以来**
　　自去年以来，我一直生活在北京。
　　上大学以来，他一直坚持学习中文。
　　自有了孩子以来，她每天都很忙。

241 【四 31】**由……组成**
　　我们班由两位老师和二十位学生组成。
　　这篇文章由三个部分组成。
　　这张试卷是由十道选择题和一道写作题组成的。

242 【四 32】**在……方面**
　　在这方面，我没有什么经验。
　　在历史方面，他知道得很多。
　　在修理电脑方面，她是个专家。

243 【四 33】**在……上/下/中**
　　在这件事情上，最好多听听父母的意见。
　　在他的影响下，我喜欢上了中文。
　　在这篇课文中，我们一共学了三十个生词。

四、句子成分

（一）主语

244 【四 34】**主谓短语作主语**
　　他不去也可以。
　　身体健康很重要。
　　我参加中文水平考试是为了获得奖学金去中国留学。

245 【四 35】**受事主语**
　　饭都吃光了。
　　作业我做完了。
　　这本书我已经看过三遍了。

（二）定语

246【四36】多项定语

我有一条漂亮的红围巾。

我那两件白色长衬衫放在哪里了？

那位戴着眼镜的白头发高个子老人就是我们的校长。

（三）补语

247【四37】趋向补语3

表示结果意义（引申用法）：动词 + 上 / 出 / 起 / 下

请同学们离开教室时关上窗户。

他向父母说出了自己的愿望。

他终于想起了当时的情况。

他们建立起了亲密的朋友关系。

请留下你的地址和手机号。

五、句子的类型

（一）特殊句型

248【四38】"把"字句2：表处置

（1）主语 + 把 + 宾语 + 动词（+ 一 / 了）+ 动词

同学们再把试卷检查检查。

你把地扫扫，我把桌子擦一擦。

他把冬天的衣服晒了晒，收在箱子里。

（2）主语 + 把 + 宾语（+ 给）+ 动词 + 了 / 着

你快点儿把作业写了。

他拿不了了，你帮他把这些东西给拿着。

你别忘了把护照带着。

（3）主语 + 把 + 宾语 + 动词 + 动量补语 / 时量补语

老师把他批评了一顿。

他把文章读了好几遍。

他把这个问题认真地考虑了好几天。

249【四39】被动句2：主语 + 被 + 动词 + 其他成分

王老师被请去开会了。

教室的灯早就被关上了。

那张画儿被买走了。

250【四40】存现句2

（1）表示出现：处所词 + 动词 + 趋向补语 / 结果补语 + 动态助词（了）+ 数量短语 + 人 / 物

前边开来一辆车。

我家昨天来了几位客人，带了不少礼物。

对面走来一位老人。

教室里走出来一位老师。

（2）表示消失：处所词 + 动词 + 结果补语 + 动态助词（了）+ 数量短语 + 人 / 物

我们班里转走了一个学生。

阳台上吹跑了一条裙子。

院子里搬走了两家人。

公司调走了几名员工。

251【四 41】**兼语句 2**

（1）表爱憎义：主语 + 表扬 / 批评 + 宾语 1 + 动词 + 宾语 2

老师表扬他帮助同学。

妈妈总是批评我不整理房间。

（2）表称谓或认定义：主语 + 叫 / 称（呼）/ 说 / 收 / 选 + 宾语 1 + 做 / 为 / 当 / 是 + 宾语 2

大家都称他为先生。

老师们都说她是好学生。

王教授收我做研究生。

同学们都选他当班长。

252【四 42】**"是……的"句 2：强调说话人的看法或态度**

这个问题是可以解决的。

这道题是很简单的。

那样的事情是绝对不会发生的。

（二）复句

• **并列复句**

253【四 43】**不是……，而是……**

我不是不想去，而是没时间。

这不是我的书，而是他的。

这件事错的不是我，而是他。

254【四 44】**既……，又 / 也……**

这件新衣服既好看，又暖和。

他既会学习，又会玩儿。

他既是我们的老师，也是我们的朋友。

• **承接复句**

255【四 45】**首先……，其次……**

首先我们要读一遍课文，其次我们要根据课文做一个练习。

我们球队问题很多，首先是队员不够团结，其次是训练时间很短。

评价一个学生，首先看品质，其次看成绩。

256【四 46】**……，于是……**

风停了，下起雨来，于是人们纷纷打起了雨伞。

他不喜欢这个工作，于是离开了这家公司。

离开会的时间还早，于是我们去逛了逛书店。

- 递进复句

257【四47】……，甚至……

他什么都不会，甚至连最简单的汉字也写不了。
她病得很严重，甚至要做手术。
妈妈真的很生气，甚至晚饭都没有吃。

- 选择复句

258【四48】或者……，或者……

这件事或者赶快停止，或者重新开始。
暑假或者去上海，或者去杭州，反正得出去旅行。
咱们三个人，或者你去，或者我去，或者他去，谁去都可以。

- 转折复句

259【四49】……，然而……

我知道中文很有用，然而中文也太难了。
他说他不喜欢这部电影，然而我觉得很有意思。

- 假设复句

260【四50】……，否则……

我要认真复习，否则考试会不及格的。
记得带卡，否则进不了办公室。
上课前一定要预习好生词和课文，否则就听不懂老师讲的。

261【四51】假如……，（就）……

假如有困难，你一定要告诉我。
假如能通过这个考试，我就可以拿到学校的奖学金了。

262【四52】万一……，（就）……

万一我没来，你就自己先去吧。
一定要把你们的护照带上，万一需要，没带就麻烦了。

- 条件复句

263【四53】不管……，都/也……

不管明天是否下雨，我都要去看他。
不管有多难，我也会坚持学下去。

264【四54】无论……，都/也……

无论学习多么紧张，我都坚持每天锻炼一个小时。
无论他怎么说，也没有人相信他。

- 因果复句

265【四55】既然……，就……

既然这事你已经决定了，我就不说什么了。
既然外面下雨了，我们就明天再去吧。

266【四56】……，可见……

他的中文水平很高，可见他在留学期间学习是多么努力。
他在我困难的时候一直帮助我，可见他是我多么好的朋友。

- 让步复句

267【四 57】哪怕……，也 / 还……

　　　　哪怕明天下雨，足球比赛也要继续进行。
　　　　哪怕再难，我也要坚持学下去。
　　　　哪怕机会不大，我还是要去试一试。

- 目的复句

268【四 58】……，好……

　　　　老师布置了听写作业，好帮助学生练习汉字。
　　　　我们应该不断地引导他，好让他对自己有信心。
　　　　她每天都给家里打电话，好让父母放心。

- 紧缩复句

269【四 59】无标记

　　　　你有事你先走。
　　　　你不怕我怕。
　　　　你想去你去。

270【四 60】不……也……

　　　　今天晚上我不睡觉也要把这篇作文写完。
　　　　他不吃饭也要帮我修电脑。
　　　　他不休息也要玩儿手机游戏。

六、特殊表达法

（一）数的表示法

271【四 61】概数表示法 3：数词 + 来 + 量词

　　　　十来本　　五十来斤　　一百来辆

272【四 62】小数、分数、百分数、倍数的表示法

　　　　零点三　　三分之二　　百分之五十　　五倍
　　　　这一百个汉字，我认识三分之二。
　　　　这支笔的价格比原来降低了百分之五十。
　　　　三班男生人数是女生人数的三倍。

七、强调的方法

273【四 63】用反问句表示强调

　　　　反问句 2：由疑问代词构成的反问句
　　　　他这么有名，谁不知道他啊？
　　　　他去哪儿，我怎么会知道呢？
　　　　作业这么多，我哪儿有时间出去玩儿？

274【四 64】用双重否定表示强调

　　　　没有孩子不喜欢玩儿。
　　　　这么重要的活动我不可能不参加。
　　　　老师不会不答应我们的请求。
　　　　我们家没有不喜欢唱歌的。

275【四65】用"一+量词（+名词）+也（都）/也没（不）……"表示强调

我一本中文书也没看过。

我累得一步路都走不动了。

上海我一次也没去过。

刚来中国时，他一句中文也听不懂。

276【四66】用"连……也/都……"表示强调

他连这个作家的名字也没听说过。

我连最简单的汉字都写不出来。

八、口语格式

277【四67】不 X 白不 X

今天班长请客，咱们不吃白不吃。

这个电影是免费的，我们为什么不去看电影？不看白不看。

278【四68】动词+一 X 是一 X

虽然日子过得很难，但也不能过一天是一天。

事情实在太多了，能做一件是一件吧。

做一道题是一道题，你一定能做完。

279【四69】(没)有什么(好) X 的

这才刚刚开始，没有什么好激动的。

你还是别担心了，有什么好害怕的。

有什么好难过的，这是我们早就想到的结果。

280【四70】X 是 X，Y 是 Y

一是一，二是二，这要分清楚。

他是他，我是我，意见不同很正常。

昨天是昨天，今天是今天，你得交作业。

281【四71】X 也得 X，不 X 也得 X

这件事很重要，你做也得做，不做也得做。

你吃也得吃，不吃也得吃，不能浪费粮食。

都病成这样了，医院你去也得去，不去也得去。

282【四72】X 就是了

你别浪费时间了，直接说就是了。

你不要生气，以后别跟他说话就是了。

283【四73】还 X 呢

还名牌儿呢，我听都没听过。

还有名的专家呢，这水平还没我高。

还著名诗人呢，这诗写的我都看不懂。

284【四74】你 X 你的吧

你吃你的吧，别给我留。

没有什么事，你休息你的吧！

你忙你的吧，我跟孩子玩儿一会儿。

285【四75】让/叫你X你就X
　　　　让你做你就做，别多问了。
　　　　叫你吃你就吃，其他的你别管。
　　　　让你安静你就安静，别那么多话。

286【四76】说什么/怎么（着）也得X
　　　　他生病了，我说什么也得去看看他。
　　　　这么重要的活动，你怎么也得来一下儿。
　　　　没时间了，说什么也得走了。

五级语法点（71个）

一、词类

（一）代词

287【五01】**指示代词：彼此、如此**

朋友之间应该彼此信任。

我们是多年的好朋友，不分彼此。

十年后，两座城市的发展状况如此不同。

他如此认真地锻炼是为了有个健康的身体。

（二）量词

288【五02】**名量词：册、朵、幅、届、颗、匹、扇**

一册书　　一朵花　　一幅画儿　　一届学生　　一颗糖　　一匹布　　一扇窗户

（三）副词

289【五03】**程度副词：过于、可¹、稍、稍微、尤其**

这件事发生得过于突然了。

他女朋友可漂亮了！

这幅画儿再挂得稍高一点儿。

稍微坚持一下儿，马上就结束了。

她喜欢运动，尤其是游泳。

290【五04】**范围副词：大都**

参加划船比赛的大都是女生。

我们班的学生大都很爱学习。

小孩儿大都喜欢吃甜的。

291【五05】**时间副词：不时、将、将要、仍旧、时常、时刻、依旧、一向**

我不时想起过去的事情。

明年我们将去国外考察。

电视剧将要开始了。

二十年过去了，他仍旧没结婚。

长大以后，我时常怀念我的故乡。

在国外，我时刻想念着国内的亲人。

十年过去了，他依旧住在那里。

他一向不爱说话。

292【五06】**频率、重复副词：偶尔、再次**

他不常请假，只是偶尔迟到一次。

我们决不让类似的事情再次发生。

293【五07】**方式副词：偷偷**

我偷偷送给他一件礼物。

她偷偷地从窗户向外看。

294【五08】**语气副词：毕竟、不免、差（一）点儿、倒是、干脆、就[4]、居然、可[2]、明明、总算**

不要怪他，他毕竟还小。

第一次参加考试，不免有些紧张。

我今天上学差点儿迟到。

这种做法倒是怪新鲜的，从来没见过。

这个人不讲道理，我们干脆不和他合作了。

别劝我，我就要去。

没想到，这件事居然是她干的。

我可记不住这么多生词。

明明是你做的，为什么要说是别人做的？

这本书总算学完了。

（四）介词

- 引出时间、处所

295【五09】**随着**

随着时间的推进，我慢慢理解了他的做法。

随着冬天的到来，房间越来越冷。

- 引出施事、受事

296【五10】**将**

父母将他送到中国留学。

禁止将书带出阅览室。

297【五11】**由[2]**

这道题由你来回答吧。

这件事情由班长负责。

- 引出凭借、依据

298【五12】**凭**

凭他的水平，通过这次考试没有问题。

凭经验进行判断往往是不准确的。

299【五13】**依据**

要依据事实办事。

警察依据线索抓住了坏人。

300【五14】**依照**

他想依照自己喜欢的方式去生活。

依照学校的规定，学生要按时上课，不能迟到。

（五）连词

301【五15】**连接分句或句子：从而、加上、完了、一旦**

他努力学习，从而实现了当翻译的理想。

今天天气不太好，加上你还有很多作业，我们还是别去公园了吧。

你快点儿写作业，完了我们去公园玩儿。

你要想好了，一旦选择了就不能放弃。

(六) 助词

302 【五 16】**其他助词：也好**

让他亲自在现场试一试也好。

你来也好，不来也好，随便吧。

多学一门语言也好，将来可以凭此找份工作。

二、短语

(一) 固定短语

• 四字格

303 【五 17】**A 来 A 去**

想来想去，还是小王最合适。

大家讨论来讨论去，最后还是没解决。

她是一名导游，经常在世界各地飞来飞去。

304 【五 18】**A 着 A 着**

她说着说着就哭起来了。

我躺在床上看电视，看着看着就睡着了。

305 【五 19】**没 A 没 B**

一上午没吃没喝，我要饿死了。

这孩子说话没大没小的，一点儿礼貌都没有。

306 【五 20】**说 A 就 A**

为什么人生需要有一次说走就走的旅行？

说干就干，只有干才能找到办法。

307 【五 21】**有 A 有 B**

下课了，同学们有说有笑地走出了教室。

这里的农村有山有水，空气好，农民们过上了好日子。

节日的公园里有男有女，有老有少，十分热闹。

• 其他

308 【五 22】**不得了**

你又考了第一名，真是不得了！

不得了了，房间里进水了。

完了完了，不得了了，电脑坏了。

309 【五 23】**不敢当**

这样的奖励我真是不敢当。

不敢当，我只是做了我应该做的事情。

您千万别这样说，我实在是不敢当。

310 【五 24】**得了**

麻烦别人还不如你自己去得了。

得了吧，他不可能帮助别人的。

你可得了吧，谁能这么想呢？

311【五25】用不着
　　你有话可以直接说，用不着害怕。
　　用不着听他的，他什么都不懂。
　　孩子们都工作了，您用不着担心了。

三、固定格式

312【五26】从……来看
　　从这个角度来看，很多问题都可以解决。
　　从他的考试成绩来看，他平时根本没有认真学习。
　　从以往的经验来看，这件事基本上没有问题。

313【五27】到……为止
　　到目前为止，他还没有出过什么错。
　　我的报告到此为止，谢谢！
　　到昨天为止，这个项目已经完成了一半。

314【五28】够……的
　　眼前这几件事就够他忙的了。
　　他可真够聪明的，竟然抓住了这个机会。
　　这本书够难的，他肯定看不懂。

315【五29】拿……来说
　　拿成绩来说，他绝对是第一。
　　拿这件事来说，你没有做错什么。
　　拿这次考试来说，只要平时努力就能通过。

316【五30】A的A，B的B
　　衣服大的大，小的小，没有一件合适的。
　　家里老的老，少的少，我们得帮帮她。
　　这里的建筑高的高，低的低，不太整齐。

317【五31】在……看来
　　在我看来，这次中文考试实在是太难了。
　　在很多人看来，这件事没有那么简单。
　　在老师看来，每一个学生都有自己的优点。

四、句子成分

(一) 宾语

318【五32】宾语的语义类型1
　　（1）施事宾语
　　　　家里来了一位客人。
　　　　门口站着一个人。
　　　　台上坐着很多领导。

（2）受事宾语

　　你们要认真对待这个考试。

　　我们要去超市采购一批食品。

（二）状语

319【五33】多项状语

　　他昨天在教室里认真地写完了作业。

　　她为了通过考试昨天在家复习了一整天。

　　我前天在路上意外地碰见了多年没见的老朋友。

　　我们下午在教室里都非常认真地对昨天的报告进行了讨论。

（三）补语

320【五34】趋向补语4

表示时间意义（引申用法）

（1）表示动作行为的开始：动词＋上/起来

　　这孩子又玩儿上游戏了。

　　他大声地哭起来了。

　　这项工作上个月就干起来了。

（2）表示动作行为的持续：动词＋下去/下来

　　别紧张，你说下去。

　　你这样坚持下去一定能成功。

　　你的中文说得不错，我建议你继续学下去。

　　在这三年里，我把每天锻炼一个小时的习惯保持下来了。

321【五35】可能补语2：动词＋得/不得

　　这种药吃得还是吃不得，得听医生的。

　　这些东西你可拿不得，很危险的。

　　这种没有原则的话可说不得。

322【五36】程度补语2

（1）形容词/动词＋得＋不得了/慌/厉害

　　爸爸答应去公园，儿子开心得不得了。

　　我只是累得慌，休息休息就好了。

　　听说要打针，她害怕得厉害。

（2）动词/形容词＋坏/透＋了

　　这么晚了孩子还没回家，张老师担心坏了。

　　这件事已经伤透了她的心，大家不要再提起。

　　第一次被别人拒绝，我心情坏透了。

323【五37】状态补语2：动词/形容词＋得＋短语

（1）动词/形容词＋得＋动词短语

　　他难过得吃不下饭。

　　她气得说不出话来。

　　她伤心得哭了起来。

（2）动词/形容词+得+主谓短语

我早上没吃饭，饿得肚子疼。

房间里热得人头痛。

孩子得了冠军，父母乐得嘴都合不上了。

（3）动词/形容词+得+固定短语

第一次看到雪，我激动得又哭又笑。

女儿半夜还没回来，妈妈在房间里急得走来走去。

明天就是儿子的婚礼，父母高兴得跑前跑后。

五、句子的类型

（一）特殊句型

324【五38】"有"字句3

（1）表示存在、具有：主语+有+着+宾语

两个国家之间有着长期的友好关系。

他们之间有着很深的误会。

（2）表示附着：主语+动词+有+宾语

书上写有他的名字。

这双筷子上刻有漂亮的图案。

发票上列有商品的名称。

325【五39】"把"字句3：表处置

（1）主语+把+宾语+状语+动词

他总是把东西到处乱扔。

下雨了，她赶紧把外面的东西往回收。

（2）主语+把+宾语+一+动词

她把东西一放，转身就走了。

老师把门一关，开始上课了。

（3）主语+把+宾语+动词（表违愿或丧失义）+了

你怎么把这件事忘了？

弟弟不小心把钱包丢了。

（4）主语+把+宾语1+动词+宾语2

他把身上的钱交学费了。

我父母把存款买了房。

326【五40】被动句3：意念被动句

蛋糕吃光了。

衣服穿破了。

车票卖完了。

327【五41】连动句3：前后两个动词性词语具有因果、转折、条件关系

李老师生病住院了。

这本书她借了没看。

她有办法解决问题。

328【五42】兼语句 3

表致使：主语 + 叫 / 令 / 使 / 让 + 人称代词 + 动词短语

他的话叫大家笑出了眼泪。

这件事令她吃不下饭。

他的做法使大家再也不敢相信他了。

明天的考试让我睡不着觉。

329【五43】比较句 5

（1）跟……相比

跟上次考试相比，这次没有那么难。

跟别人相比，我的想法太简单了。

跟语法知识相比，我觉得语音知识更难。

（2）A + 形容词 + B + 数量补语

她高我五厘米。

他早我十分钟。

姐姐大我十岁。

(二) 复句

• 选择复句

330【五44】或是……，或是……

这件事或是哥哥做的，或是弟弟做的。

你或是参加这次考试，或是明年再学一遍这门课。

• 转折复句

331【五45】尽管……，但是 / 可是……

尽管这次考试很难，但是很多人都通过了。

尽管外面在下雨，可是他一定要去超市买东西。

尽管他不接受我的意见，可是我有意见还是要向他提。

• 假设复句

332【五46】一旦……，就……

一旦考试不及格，我就要延期毕业了。

一旦地铁建成，堵车的情况就可大大缓解。

中文一旦学起来，就再也放不下了。

333【五47】要是……，(就)……，否则……

要是他不去，我也不去了，否则我一个人去太危险了。

要是明天下雨，我们就不去爬山了，否则会冻感冒的。

要是你不带包，我就带一个，否则买的东西没地方放。

• 条件复句

334【五48】除非……，才……

除非你答应我，我才和你一起去。

除非你努力学习，才有可能考上大学。

除非心情好，他才会答应我们的要求。

335【五49】除非……，否则／不然……
　　　　除非坐飞机去，否则肯定来不及了。
　　　　除非你仔细检查，不然太容易出错了。

• 因果复句

336【五50】……，因而……
　　　　他生病了，因而没来上课。
　　　　她按时完成了任务，因而受到公司的奖励。
　　　　这次考试太难了，因而很多学生都没有通过。

• 让步复句

337【五51】即使……，也……
　　　　即使天气不好，爬长城的人也不会少。
　　　　他即使生病了，也坚持工作。
　　　　我即使睡得再晚，早上六点也准醒。

• 目的复句

338【五52】……，为的是……
　　　　我把车停在外面，为的是走的时候方便。
　　　　她给你发这个信息，为的是提醒你注意安全。
　　　　老师这节课什么也没讲，为的是让我们有时间多练习口语。

339【五53】……，以便……
　　　　我们要早一点儿出门，以便乘坐第一班公交车。
　　　　她每天步行上班，以便锻炼身体。
　　　　把手机号留下吧，以便跟你联系。

• 紧缩复句

340【五54】没有……就没有……
　　　　没有你的帮助就没有我的成功。
　　　　没有水就没有生命的存在。
　　　　没有平时的努力就没有今天的成绩。

341【五55】再……也……
　　　　这件事再难也要坚持下去。
　　　　雨下得再大我也要去上班。
　　　　这篇课文再长也要读完。

• 多重复句

342【五56】二重复句1：单句+复句；复句+单句
　　　　我决定去中国留学，即使中文再难我也要去学。
　　　　因为生病所以我没去上课，没想到的是老师一下课就来看我了。
　　　　她一直不愿意说出真相，虽然我不知道她的真实想法，但我尊重她的选择。

六、强调的方法

343【五57】用"再也不／没"表示强调
　　　　从今天开始，我再也不会出这种错了。
　　　　他再也没跟我联系过。
　　　　我再也没见过她。

344【五58】用副词"可"表示强调

你可来了，急死我了！
你可得注意身体呀，天天睡眠不足可不行！
你可不能让大家失望！

345【五59】用"怎么都/也＋不/没"表示强调

她怎么都没想到自己会失败。
他怎么也想不出来答案。
他的话我怎么都听不懂。
昨天晚上我怎么也睡不着。

七、口语格式

346【五60】X也不是，Y也不是

他这样开玩笑，气得我哭也不是，笑也不是。
一看来了这么多人，他紧张得坐也不是，站也不是。
走也不是，留也不是，真不知道怎么办好。

347【五61】X也X不得，Y也Y不得

他腰疼起来的时候站也站不得，坐也坐不得。
孩子大了，骂也骂不得，打也打不得。
这件事愁得他吃也吃不得，睡也睡不得。

348【五62】X是它，Y也是它

好是它，坏也是它，你没有别的选择。
成功是它，失败也是它，这个选择我绝对不后悔。
等一个小时是它，等两个小时也是它，只能坐这一班车回家了。

349【五63】X着也是X着

明天我去超市逛逛，反正闲着也是闲着。
那些衣服她不喜欢了，放着也是放着，不如送人吧。
反正等着也是等着，我们不如休息休息吧。

350【五64】X归X，Y归Y

想归想，做归做，结果完全不一样。
吵归吵，闹归闹，大家还是好朋友。
朋友归朋友，生意归生意，不能免费。

351【五65】不管怎样说

不管怎样说，你这么做就是不对的。
不管怎样说，这事总算办成了。

352【五66】看你X的/瞧他X的

看你说的，我哪有那么能干？
甲：他说他这次准考第一。
乙：瞧他吹的。

353【五67】真有你/他/她的

真有你的！电脑你也会修？
这么难的事情他都有办法，真有他的！

354【五 68】X 什么 X

看什么看，再看就迟到了！
吃什么吃，再吃就胖死了！

355【五 69】什么 X 不 X（的）

什么钱不钱的，你这话说的太客气了。
什么麻烦不麻烦，我们之间不用这么客气。
什么合适不合适的，衣服能穿就行。

八、句群

356【五 70】用代词复指

（1）用人称代词复指

这个小伙子是我们学校的英国留学生。他来中国之前，在英国学过一点儿中文，他觉得中文很有意思。去年公司派他来中国学习中文，现在还想让他留在中国工作。

网络对我们的生活越来越重要。它随时告诉我们每天世界各地发生的新闻，很多人不出门就能通过它买东西、跟朋友交流，它让生活变得越来越方便。

（2）用指示代词复指

中国的南方人喜欢喝一种酒。这种酒是用米做的，味道甜甜的，大人小孩儿都能喝。这也是北方人去南方旅行之后喜欢买的东西之一。

我的家乡在中国的南方。那是一个小城市，景色很漂亮，很适合旅游。我在那儿出生、长大，一直到十六岁才离开。那也是我最喜欢的城市。

（3）各种代词相间使用

《现代汉语词典》一书是中国语言研究人员多年的成果，2016 年 9 月出版了第 7 版。这不仅是全世界华人学习现代汉语最重要的词典之一，同时也被称为世界上许多国家和地区的人们研究和学习中文的"标准"。至今，《现代汉语词典》除了中国版以外，还拥有多个国外版。它的出版，对促进国内外学术交流和合作起到了积极的作用。

357【五 71】带省略成分

（1）省略主语

（我）决定出国留学，我不得不和父母告别，想到以后再也没有人保护我、关心我，（我）心里有些担心。离开家乡的那一天，亲人们都来机场送我，（我）带着他们的祝福和希望，我登上了前往北京的航班，开始了我的留学生活。

（2）省略宾语

世界上任何事物都永远在运动、变化、发展，语言也是。语言的变化，包括语音、词汇和语法，短时间内不容易发现（这些变化），日子长了就表现出来了。

六级语法点（67个）

一、语素

（一）类前缀

358【六01】超-、多-、反-、无-、亚-、准-

超自然　多角度　反作用　无烟　亚健康　准妈妈

（二）类后缀

359【六02】-化、-式、-型、-性

现代化　美式　小型　普遍性

二、词类

（一）代词

360【六03】指示代词：本、此

本市　本人　此事　此处

（二）量词

361【六04】名量词：餐、串、滴、副、股、集、枝

一餐饭　一串葡萄　一滴水　一副球拍　一股力量　一集电视剧　一枝花

362【六05】动量词：番、声、趟

讨论一番　说一声　跑两趟

（三）副词

363【六06】程度副词：特、异常

他特高兴，因为他的设计获奖了。

今天天气异常寒冷。

364【六07】范围、协同副词：尽、净、一齐、一同

刚上班，分配给我的尽是些基础工作。

这里净是垃圾，都没地方站。

大家一齐动手，清理路上的垃圾。

这是我们一同努力的结果。

365【六08】时间副词：时时、一时、早晚

老师时时关注着我们的学习。

我好像在哪儿见过他，可一时又想不起来了。

他早晚会知道事情的真相。

366【六09】关联副词：便

他一下课便回家了。

他一毕业便决定回国。

367【六10】方式副词：不禁、赶忙、亲眼、特地、特意

我不禁回忆起第一次跟她见面的场景。

要迟到了，他赶忙出门，早饭都没吃。

这件事是我亲眼所见，不会有假。

我都准备好了，你不用特地跑来帮我。

大卫今天第一天上班，特意穿了双新皮鞋。

368【六 11】情态副词：仿佛

奶奶仿佛孩子似的开心地笑了。

他工作起来仿佛不知道什么是累。

369【六 12】语气副词：才³、刚好、偏、恰好

我才不要父母的钱呢，我要自己赚钱。

我要出门找他的时候他刚好回来了。

北方的冬天极其寒冷，可他圣诞节偏要去那儿旅行。

哥哥非常粗心，弟弟却恰好相反。

（四）介词

- **引出时间、处所**

370【六 13】于

他出生于 1995 年。

大熊猫主要生活于中国西南地区。

- **引出方向、路径**

371【六 14】沿（着）

他喜欢沿着湖散步。

你沿这条路走，一会儿就到了。

我沿着他指的路，很快找到了他家。

- **引出对象**

372【六 15】同¹、与¹

同你一样，我也是学生。

你要与同学搞好关系。

373【六 16】至于

旅行的时间已经定了，至于费用问题，还需要再讨论。

学校决定下个月举行运动会，至于具体时间，请待学校通知。

超市将于节日期间举行优惠活动，至于详细情况，可上网查查。

- **引出目的、原因**

374【六 17】因

因公司的业务需要，她要去中国出差。

昨天她因病请假。

他因出门太晚迟到了。

- **表示排除**

375【六 18】除

除他以外，所有人都来了。

除这件事以外，其他我都能答应你。

除这个箱子以外，没有其他行李了。

- 引出凭借、依据

376【六19】据

据专家介绍，这个信息并不准确。

据统计，大多数家庭有一到两个子女。

据说，他还没决定放弃。

（五）连词

377【六20】**连接词或短语：而²、同²、与²**

她善良而乐观。

我同他都是新员工。

成与不成，都看你的啦！

378【六21】**连接分句或句子：不料、可³、若**

我今天本想去操场踢足球，不料外面下起雨来。

我们约定一起去长城玩儿，可他忘记了。

若这个时间你不方便，我们就换一个。

（六）助词

379【六22】**结构助词：所**

据我所知，这件事不是真的。

你所做的每件事我都支持。

这部电影正是我所感兴趣的。

380【六23】**语气助词：罢了、啦、嘛**

别生气，我只是开个玩笑罢了。

我终于把这个问题搞明白啦！

什么事，你快说嘛！

三、短语

（一）结构类型

381【六24】**数词 + 形容词 + 量词**

一大杯茶　　一长串葡萄　　一小份米饭

（二）固定短语

- 四字格

382【六25】**或 A 或 B**

每位市民都为这座城市的发展做出过或大或小的贡献。

各个企业都有一套或高或低的质量监测管理标准。

383【六26】**无 A 无 B**

妈妈无时无刻不在想念着国外留学的孩子。

这孩子再不管管就无法无天了。

384【六27】**A 这 A 那**

他总是很耐心地听她说这说那。

他这个人真是麻烦，总是嫌这嫌那的。

385【六 28】左 A 右 B
　　他左躲右闪，终于把球踢进了球门。
　　第一次出门，他兴奋得左瞧右看，眼睛都不够用了。
　　他左思右想，觉得这件事不能这样就完了。

• 其他

386【六 29】不怎么
　　这件衣服不怎么好看，换一件吧。
　　他不怎么在乎这些小事。
　　他今天好像不怎么舒服。

387【六 30】不怎么样
　　她跳舞跳得不怎么样。
　　甲：这件衣服怎么样？
　　乙：不怎么样。

388【六 31】好（不）容易
　　我好不容易给你争取来这个机会，你怎么能不抓住呢？
　　你好容易走到这一步，怎么能说放弃就放弃呢？
　　我好不容易说服他来参加比赛，你不能让他走。

389【六 32】那倒（也）是
　　现在看来，那倒是个很好的办法。
　　实在没办法，那倒也是个办法。
　　甲：如果能找到失败的原因，那倒是件值得高兴的事。
　　乙：那倒也是。

390【六 33】就是说 / 这就是说
　　就是说，他是一个不诚实的人。
　　这就是说，责任不在你，你千万不要怪自己。

391【六 34】算了
　　这件事就这样算了吧。
　　他不去算了，不要为难他了。
　　甲：不行，我得好好问问他。
　　乙：算了，你说不过他的。

四、固定格式

392【六 35】A 一 + 量词，B 一 + 量词
　　他摔得很严重，身上青一块，紫一块。
　　大家你一句，我一句，搞得他反而没了主意。
　　他俩说着话，突然你一下儿、我一下儿地打起来了。

393【六 36】东一 A，西一 A
　　天黑还下雨，他东一脚，西一脚地赶回来了。
　　他说话东一句，西一句，完全没有重点。
　　他做事情总是东一下儿，西一下儿，既无计划更无耐心。

394【六37】为了……而……

为了这么一件小事而生气，不值得。

他为了这次比赛而努力了很久。

这是为了讨论改善环境问题而召开的会议。

五、句子成分

(一) 宾语

395【六38】宾语的语义类型2

（1）处所宾语

听见铃声，他马上就进教室了。

他把东西都放桌子上了。

（2）结果宾语

在中国农村，盖房子是一件大事。

新学期的学生太多了，学校正在校园里建食堂。

(二) 补语

396【六39】趋向补语5

表示状态意义（引申用法）：动词/形容词 + 下来/下去/起来/过来/过去

老师一进教室，同学们很快安静了下来。

他对工作的兴趣渐渐淡了下去。

我们先把礼物藏起来。

外边的雨大起来了。

经过医生的抢救，他终于醒过来了。

小云刚才突然昏过去了。

六、句子的类型

(一) 特殊句型

397【六40】"把"字句4：表致使

（1）主语（非生物体）+ 把 + 宾语 + 动词 + 其他成分

这双鞋把脚磨破了。

外面的声音把我吵醒了。

（2）主语 + 把 + 宾语（施事）+ 动词 + 其他成分

他把大伙儿笑得肚子疼。

他把爸爸气得一夜没睡。

孩子把妈妈感动得流下了眼泪。

398【六41】被动句4：主语 + 被/叫/让 + 宾语 + 给 + 动词 + 其他成分

杯子被她不小心给摔碎了。

自行车叫小偷儿给偷走了。

这件事差点儿让我给忘了。

(二) 复句

- 并列复句

399【六42】时而……，时而……

这儿的天气变来变去，时而晴天，时而下雨。

生活就是这样，时而让人失望，时而让人充满信心。
她的情绪很不稳定，时而积极，时而消极。

400【六43】一时……一时……
年纪太大了，身体一时好一时坏。
这家公司的产量一时上升一时下降。
他的情绪有波动，一时高兴一时悲伤。

- 承接复句

401【六44】……便……
我一走出校门，抬头便看见了她。
她放下电话，衣服没换便往医院赶。
一回到家，他便看到了桌子上的饭菜。

- 递进复句

402【六45】不但不 / 不但没有……，反而……
他不但不帮我，反而还给我添麻烦。
夏天过去了，天气不但没有凉快，反而更热了。
他不但没有鼓励我，反而还批评了我一顿。

403【六46】不是……，还 / 还是……
不是读完了就可以了，还应该写一篇作文。
这事不是你想做就能做的，还是要听听老板的意见。

404【六47】连……也 / 都……，……更……
连大人也做不到，孩子更做不到。
连老人也喜欢看，孩子们更是喜欢得不得了。

- 选择复句

405【六48】要么……，要么……
你要么跟他一组，要么自己一个人一组，尽快决定吧。
面对困难，我们要么被它吓倒，要么战胜它。
教室里的同学们要么在写作业，要么在小声讨论。

- 转折复句

406【六49】虽……，但 / 可 / 却 / 也……
他年纪虽小，但经验不少。
我虽没得到奖励，可仍然对自己充满信心。
他虽失败了，却仍然微笑面对。
她虽病了，也坚持来上课。

- 假设复句

407【六50】……，要不然 / 不然……
大家要认真对待考试，要不然会影响毕业的。
我得赶快出发了，要不然就迟到了。
这个活动你一定要参加，不然你会后悔的。

- 条件复句

408【六51】凡是……，都……
凡是听到高兴的事，他都和朋友分享。

凡是跟他合作，都能顺利完成任务。
凡是对的，我们都应该坚持。

- 让步复句

409【六52】就算/就是……也……
就算成绩最好的同学也无法回答这个问题。
就是你想马上瘦下来也不能每天不吃饭。
就算他错了你也不能说他，他还小呢。

- 紧缩复句

410【六53】不……不……
你们两个人可真是不打不成交。
这里的房价不问不知道，一问吓一跳。
她今天一直在练习，不达标准不休息。

- 多重复句

411【六54】二重复句2：复句+复句
成功的基础是奋斗，奋斗的收获是成功，所以，只有不断努力的人才有机会走上成功的高峰。
这个国王既不关心他的军队，也不喜欢去看戏，也不喜欢乘着马车去游玩儿，——除非是要展示一下儿自己的新衣服。
承认错误，才能正确看待出现在自己身上的问题；同时，只有虚心接受别人的批评，解决了自己的问题，才能取得下一步的成功。

七、强调的方法

412【六55】用"非……不可"表示强调
不管天气怎么样，我们非去不可。
还有这么长准备时间呢，你非要现在写完不可吗？
他正生着气呢，你非现在说不可吗？

八、口语格式

413【六56】X到Y头上来了
他都欺负到你头上来了，你也不在乎吗？
人家都求到我们头上来了，还是帮帮他们吧。
这种好事怎么轮到我头上来了？

414【六57】X就X吧
等等就等等吧，没有别的办法了。
少点儿就少点儿吧，总比没有强。
晚点儿就晚点儿吧，来得及就行。

415【六58】X是X
去是去了，就是不知道结果怎么样。
好是好，但不知道老师会不会同意我们这样做。
这件衣服漂亮是漂亮，但也太贵了。

416【六59】**不 X 不……，一 X ……**
　　　　不看不知道，一看吓一跳，这里变化太大了！
　　　　这题目看起来简单，不做不知道，一做真不会！

417【六60】**好你个 X**
　　　　好你个小偷儿，敢偷我的东西，我送你去警察局！
　　　　好你个大骗子，还好我聪明，没上你的当！
　　　　好你个老王，一点儿忙都不帮我！

418【六61】**动词 + 什么（就）是什么**
　　　　行啊！你说什么是什么，都听你的。
　　　　哪有这么容易的，你想什么就是什么？

419【六62】**早（也）不 X，晚（也）不 X**
　　　　早不来，晚不来，恰好要出门的时候他来了。
　　　　早也不走，晚也不走，需要他的时候他却走了。

420【六63】**看 / 瞧把 + 宾语（施事）+ X 得**
　　　　真是小孩子呀，看把他乐得。
　　　　瞧把他得意得，都不知道自己是谁了。
　　　　瞧把他吓得，都不知道说什么了。

421【六64】**放着 X 不 Y**
　　　　你可别放着好日子不过，在这儿找麻烦。
　　　　他放着好好的学不上，非要跑去外面打工。

422【六65】**X 来 X 去，都是 / 就是……**
　　　　不管我们怎么争来争去，都是没有用的。
　　　　说来说去，就是没有统一的意见。

423【六66】**X 了就 X 了，（没）有……**
　　　　坏了就坏了，有什么大不了的？
　　　　输了就输了，没有什么好难过的。

424【六67】**这 / 那也不 X，那 / 这也不 Y**
　　　　这也不吃，那也不喝，结果就是身体越来越差。
　　　　那也不合适，这也不对，我真的不明白她到底想怎样。

高等（新增148个）

七—九级语法点（148个）

一、词类

（一）动词

425【七—九001】**能愿动词：需**

父亲的身体需休养一段时间。

我们仍需耐心等待。

（二）代词

426【七—九002】**疑问代词：何**

我们何时出发？

不管你有何疑问，都可以到办公室找我。

427【七—九003】**指示代词：该、另、兹**

该企业　　另一回事　　兹日

（三）量词

428【七—九004】**名量词**

（1）栋、粒、枚、则、盏

四栋楼　　三粒药　　五枚硬币　　一则新闻　　一盏灯

（2）复合量词：人次

接待三千人次

（四）副词

- **程度副词**

429【七—九005】**极为**

齐白石是极为杰出的画家。

能源汽车的发展前景极为广阔。

430【七—九006】**尽**

坐在尽前头的是我女朋友。

尽北边有一个空位，您可以考虑这个位置。

431【七—九007】**蛮**

她的分数蛮高的，大学肯定能考上。

昨天刚下完雪，今天蛮冷的。

432【七—九008】**颇**

我对这部电影的印象颇深。

他对导游这份工作颇有兴趣。

433【七—九009】**稍稍**

听了他的话，我稍稍松了一口气。

上海的夏天又闷又热，稍稍一动就会出汗。

434【七—九010】**尤为**
　　葡萄中的维生素含量尤为丰厚。
　　他对自己的要求尤为严格。

435【七—九011】**越发**
　　听到这个消息，同学们越发有热情了。
　　随着年龄的增长，他越发不喜欢出去旅行了。

- 范围、协同副词

436【七—九012】**凡**
　　凡事自己努力去做就好。
　　凡年龄满十八岁的公民都有选举与被选举的权利。

437【七—九013】**皆**
　　这已是人人皆知的事实。
　　这个比赛十六到十九岁的男性青少年皆可报名参加。

438【七—九014】**统统**
　　我们不得不承认这些材料统统没有价值。
　　时间、地点、人物、事件，她统统不记得。

439【七—九015】**唯独**
　　全班同学都在认真听讲，唯独他在睡觉。
　　他什么都不在乎，唯独受不了家人的不理解。

- 时间副词

440【七—九016】**即**
　　对待教育问题，不宜忽视，要严肃对待，有错即改。
　　西北人张口即来的这种民歌，是高原上一道美丽的风景。

441【七—九017】**历来**
　　王老师历来重视培养学生的动手能力。
　　流行歌曲历来是社会文化不可以缺少的一部分。

442【七—九018】**尚**
　　这个调查到现在为止尚无进展。
　　这个问题想研究明白，尚需努力。

443【七—九019】**向来**
　　他这个人向来吃软不吃硬，你不能硬来。
　　他向来第一个到学校，从未迟到过。

- 频率、重复副词

444【七—九020】**频频**
　　他频频与朋友们以及他的竞争者们打招呼。
　　气氛十分热烈，大家频频举杯，说笑不停，非常高兴。

445【七—九021】**再度**
　　这个班再度被评为"优秀班集体"。
　　两位好友三十年后再度相遇。

- 关联副词

446【七—九 022】**亦**

此人并不存在，将来亦不会出现，永远不会。
若能从失败中获得教训，失败亦是成功。

- 否定副词

447【七—九 023】**未**

他至今还未和我联系。
虽然他四十未到，但已经是很成熟的经理了。

448【七—九 024】**勿**

希望各位勿忘十年后的约定。
我在国外一切都很好，勿念。

- 方式副词

449【七—九 025】**不由得**

看着父亲粗糙的手，我不由得流下了眼泪。
看着毕业照，我不由得开始回忆起往事。

450【七—九 026】**顺便**

去老师办公室的时候，他顺便把我的作业也交了。
我到了上海，顺便去看望了小学老师。

451【七—九 027】**一连**

这场大雨一连下了十多天，也就把工人们困在这里十多天。
他上了床，在一连三天三夜没睡好以后终于能舒舒服服地睡上一觉了。

- 情态副词

452【七—九 028】**按说**

按说现在是蔬菜供应淡季，可是这里的蔬菜种类还是不少。
按说这个时候应该下雪了，可今年一场雪还没下。

- 语气副词

453【七—九 029】**必定**

若是有个太太照顾着他，他的生活必定不会那么乱七八糟了。
倘若他们想要人为地挽救这一文明，必定会失败。

454【七—九 030】**不妨**

据说这个药效果很好，你不妨试一试。
关于这个问题，咱们不妨听一听别人的建议。

455【七—九 031】**何必**

我只是和你开玩笑，何必当真呢？
咱们是老同学，何必这么客气。

456【七—九 032】**莫非**

她今天没来学校，莫非出了什么事？
你平时不认真学习，莫非要等到期末考试了才开始紧张吗？

457【七—九 033】**白白**

她忘了关水龙头，白白浪费了很多水。
这次投资失败了，让公司白白损失了很多钱。

458【七一九 034】反倒
　　　　　　　　明明是你的错，怎么反倒怪我了？
　　　　　　　　他越是在困难的时候反倒越能坚持。

459【七一九 035】分明
　　　　　　　　我分明看他走过来了，怎么一下子就不见了呢？
　　　　　　　　让我三天就完成，你分明是在为难我。

460【七一九 036】怪不得
　　　　　　　　怪不得她没去爬山，原来昨天下雨了。
　　　　　　　　这姑娘漂亮，人品也好，怪不得有很多男孩儿喜欢她。

461【七一九 037】好在
　　　　　　　　好在你现在也在北京，你们可以互相照顾。
　　　　　　　　好在他病得不重，应该马上就能上班了。

462【七一九 038】乃
　　　　　　　　《红楼梦》乃古代小说的杰出代表。
　　　　　　　　失败乃成功之母。

463【七一九 039】难怪
　　　　　　　　这道题非常难，难怪她一时答不出来。
　　　　　　　　他是个东北人，难怪他不怕冷。

464【七一九 040】偏偏
　　　　　　　　周围这么多漂亮的女生，你怎么偏偏喜欢她？
　　　　　　　　我们已经穿好衣服准备要走了，可孩子偏偏又醒了。

465【七一九 041】索性
　　　　　　　　衣服已经被雨淋湿了，我索性就合上了伞，直接在雨中散步了。
　　　　　　　　现在已经很晚了，我索性直接在外面吃完饭再回家好了。

466【七一九 042】万万
　　　　　　　　万万不能开着煤气出门。
　　　　　　　　触犯法律的事情是万万干不得的。

467【七一九 043】未免
　　　　　　　　这道题未免也太难了吧。
　　　　　　　　你这样说她，未免也太过分了。

468【七一九 044】无非
　　　　　　　　他这么做，无非是为了早点儿回家。
　　　　　　　　她想要的无非是一份稳定的工作。

469【七一九 045】幸好
　　　　　　　　他来的时候，幸好我在家，不然他又该生气了。
　　　　　　　　幸好你提醒了我，要不我就忘了。

470【七一九 046】幸亏
　　　　　　　　幸亏你回来得早，不然我就不知道怎么办才好了。
　　　　　　　　我们幸亏走了这条路，才没碰到堵车。

471【七—九 047】**终究**

他终究是个孩子,你得耐心一点儿。

你们对工作这么不负责任,终究会出问题的。

(五)介词

- **引出方向、路径**

472【七—九 048】**顺着**

雨水顺着我的头发滴了下来。

我们就顺着这条路走,走到哪儿算哪儿。

- **引出对象**

473【七—九 049】**当着**

当着我的面,你有什么想说的就都说出来吧。

我当着大家的面把礼物拆开了。

474【七—九 050】**就**^{5}

他已就这个问题做了检讨。

我想就如何找到自己满意的工作这个问题来谈一谈。

- **引出凭借、依据**

475【七—九 051】**趁**

趁你还年轻,一定要多尝试。

趁火车还没开,你现在还能下车。

476【七—九 052】**基于**

这两种不同的人生态度是基于对人生不同的理解。

你的结论都基于假设,所以不可信。

477【七—九 053】**依**

依你看,这件事该怎么解决?

这件事就依你的方案做吧。

(六)连词

478【七—九 054】**连接词或短语:及**

工人、农民及士兵都参加了此次会议。

现急需煤炭、石油、电力及其他能源。

479【七—九 055】**连接分句或句子:继而、要不是**

他本来不同意的,可继而一想,又觉得是一个好机会。

人民币升值将会影响到中国的出口,继而影响中国的经济增长。

要不是老师帮我,我也不能写好这篇文章。

要不是他推迟回国,也不会赶不上面试。

(七)助词

- **结构助词**

480【七—九 056】**之**

我们可以将北京描绘为一本梦之书。

由于做了好事,做出了贡献,因此他得到所爱之人的欣赏。

- 语气助词

481【七一九057】而已

这算什么，只是一堆纸而已。

我不过是出于好奇，随便问问而已。

482【七一九058】矣

人生得一知己足矣。

他的想法可谓多矣。

二、短语

（一）结构类型

483【七一九059】数词+量词+抽象事物

他有一身本领，颇有才华。

这里虽然听不见什么争吵声，但并不是一团和气。

（二）固定短语

- 四字格

484【七一九060】爱A不A

他瞧不起她，对她总是一副爱理不理的样子。

这是我的想法，你爱听不听。

485【七一九061】半A半B

他说话半真半假，你不要完全相信他。

突然听到明天放假的消息，我一直半信半疑。

486【七一九062】东A西B

她买东西就喜欢东挑西选。

为了买到一张火车票，我东奔西跑，累得一身汗。

487【七一九063】非A非B

这场悲剧的制造者非你非我，另有他人。

我们非敌非友，只是那天见过一面而已。

488【七一九064】忽A忽B

叔叔书房的门关着，里边的说话声忽高忽低。

他十分紧张，心跳得忽快忽慢。

489【七一九065】连A带B

几个小孩儿吓得连哭带叫。

信是男朋友写的，她高兴得连蹦带跳。

490【七一九066】时A时B

小鸟发出的声音时长时短。

他的成绩时好时坏，老师也拿他没办法。

491【七一九067】自A自B

一路上老板自说自话唠叨了半天。

想到你对我们工作的破坏，我应该让你自作自受才对。

• 其他

492【七一九 068】**巴不得**

他一口气跑了半个多小时，巴不得一步就到家。

我恨这个行业，巴不得早点儿离开。

493【七一九 069】**别提了**

晚饭还没开始吃他就已经醉了，后来就更别提了。

别提了，我根本都不认识那个人，他硬拉着我不让我走。

494【七一九 070】**除此之外**

他是个老师，除此之外，我不知道别的。

我只带了一个书包，除此之外什么都没带。

495【七一九 071】**归根到底**

人生归根到底是一个人的旅行。

归根到底，成长是一种幸福。

496【七一九 072】**可不是**

甲：什么？我们家出事了？

乙：可不是，警察都已经来了。

甲：小孩子长得真快啊！

乙：可不是，已经要上小学了。

497【七一九 073】**没说的**

我愿意做这件事，那是没说的，只是我不知道还能做多长时间。

新来的领导我都见过了，真是没说的！

498【七一九 074】**无论如何**

无论如何，他没有别的选择。

听到这里，他无论如何也不答应。

499【七一九 075】**由此可见**

很多中国孩子从小学习书法，由此可见书法在中国教育中的重要地位。

他幻想着将来住在爷爷家里以后要干些什么事，一遍遍说个没完，由此可见，他对母亲并没有什么舍不得。

500【七一九 076】**与此同时**

太阳落山了，几乎与此同时下起了大雨。

几个月之后，他的眼睛开始不停地流眼泪，与此同时他的视力也变得越来越差。

501【七一九 077】**这样一来**

这些小鸟总是在唱歌，这样一来，我家门前可热闹了。

他听了医生的话，每天都去外面散步，这样一来，他的病很快就好了。

502【七一九 078】**综上所述**

综上所述，如果希望交流顺利地进行，需要大家共同努力。

综上所述，随着科技的发展，人们越来越依赖手机。

503【七一九 079】**总的来说 / 总而言之**

总的来说，他的身体状态还算不错。

她的专业能力很不错，工作态度总的来说也很端正，是个很好的合作伙伴。

总而言之，最重要的应该是过程，而不是结果。
总而言之一句话，我不喜欢他。

三、固定格式

504【七一九080】**不知……好**
这件事很复杂，不知如何解决才好。
看他紧张得手心都是汗，我也不知说什么好。

505【七一九081】**所谓……就是……**
房内没有一样值钱的东西，所谓家具就是这几把椅子。
他所谓的好家庭就是住在一栋大房子里，妻子穿着漂亮的衣服。

506【七一九082】**无非/不过/只不过/只是……而已/罢了**
不要相信他，这无非是他的借口罢了。
我这么说没有其他意思，不过是想鼓励他而已。
她会做这道题，只不过假装不会而已。
大家都说爱情很快就会过去，剩下的只是习惯罢了。

507【七一九083】**以……为……**
我们不能以自己为中心，要考虑别人的感受。
她以和平为主题，创作了一部小说。

508【七一九084】**因……而……**
我经常看到他因一件小事而快乐的场景。
她胆子很大，不会因一些奇怪的声音而害怕。

四、句子成分

（一）宾语

509【七一九085】**宾语的语义类型3**
（1）方式宾语
为了方便取出来，他把钱存了个活期。
为了节省时间，这封信还是寄航空吧。

（2）工具宾语
他坚持每天写毛笔。
他吃大碗，我吃小碗。

（3）材料宾语
新手养菊花，该如何浇水？
他在脸上盖一张报纸睡着了。

（4）目的宾语
为了拍这部电影，他到处去拉赞助。
他在我们公司主要跑项目。

（二）补语

510【七一九086】**程度补语3**
（1）形容词/动词+得+不行
终于要去旅游了，儿子兴奋得不行。
上学时我对体育课也是讨厌得不行。

（2）形容词/动词+得+要命/要死

他人不大，但是脾气大得要命。

我最近太忙了，每天累得要死。

511【七一九087】**状态补语3："个"引导的补语**

那个小女孩儿哭个不停，说是找不到妈妈了。

他在我们面前说个没完。

五、句子的类型

(一) 特殊句型

512【七一九088】**"把"字句5：表致使**

（主语+）把+宾语（施事）+动词+了

去年她把丈夫死了，后来父母也去世了。

钱没挣着，却把老公跑了。

513【七一九089】**被动句5**

（1）被……所……

这是我第一次感到自己被一个人所吸引。

没想到，他竟然会被一个小学生所欺骗。

（2）为……所……

他这种行为，为人类社会所不容。

领导的这种行为往往不为人所信任。

514【七一九090】**比较句6**

（1）比起……（来）

比起其他人，我的想法太简单了。

比起唱歌来，他更喜欢跳舞。

（2）A+形容词+于+B

人的自我实现过程重于结果。

在施工现场，工人们的安全高于一切，大于一切。

（3）A+比+名词+还+名词

他简直比强盗还强盗！

在上流社会里，他装得比绅士还绅士。

(二) 复句

- 并列复句

515【七一九091】**一面……，一面……**

他一面听老师讲课，一面认真记笔记。

他一面做作业，一面看电视，做事一点儿都不用心。

- 承接复句

516【七一九092】**……，此后……**

我们三年前见过一面，此后再也没有见过。

她二十岁结了婚，此后丈夫生病，她照顾了四年。

517【七―九093】起初……，……才……
他起初没明白，后来才理解了游戏的规则。
我们起初不想参加的，只是不好意思拒绝，才去了那里。

• 递进复句

518【七―九094】别说……，连……也/都……；连……也/都……，别说……；别说……，即使……也……；即使……也……，别说……
别说是大学生了，连小学生都比他写得好。
我现在穷得连饭也吃不起了，别说买新衣服了。
别说爸爸，即使是老师，也说不出这种植物的名字。
即使是稍微有钱的家庭，也禁不住她这么花钱，别说普通家庭了。

519【七―九095】……，何况……
我不道歉，何况根本不是我的错！
这道菜做起来很花时间的，何况今天顾客那么多。

520【七―九096】……，进而……
只有在这样的国家里，教师才能充分发展，进而保护他自己和公共利益。
遇到困难不要回避，挺起身来向它挑战，进而战胜它。

521【七―九097】……，况且……
北京这么大，况且你又是第一次来，怎么能一下子就找到我家呢？
那时天已经黑了，况且人又坐在车上，肯定看不清楚。

522【七―九098】连……，更不用说……
连他都不会，更不用说我了。
我连上次的考试都没通过，更不用说这次的了。
他连这几个字都不会写，更不用说写篇作文了。

523【七―九099】……，乃至……
他的脸色、眼神，乃至一举一动，都被别人看得清清楚楚。
他熟悉北京，也熟悉巴黎，乃至全世界。

524【七―九100】……，且……
他办事严谨而认真，且十分负责，获得了领导的信任。
这一条街又脏又乱，总是很潮湿，且一年四季总不免有种古怪气味。

525【七―九101】……，甚至于……
她不能忍受这种想法，甚至于一秒钟也受不了。
这个小姑娘始终都是那副模样，甚至于一点儿也没长高。

• 选择复句

526【七―九102】或……，或……
他把信藏在某个秘密的地方了，或一块石头下面，或一棵树后面。
阿姨每次来我家都带着一群朋友，或二三人，或三四人，大家说说笑笑。

527【七―九103】宁可/宁愿……，也……
他宁可饿着肚子去上课，也不愿意吃垃圾食品。
他宁愿自己承担，也不肯把责任推给别人。

528【七—九104】**与其……，不如……**

与其去爬山，还不如在家看电视。

与其在这里浪费时间，我们不如认真复习。

529【七—九105】**与其……，宁可/宁愿……**

与其在这里洗半天的衣服，我宁可去买新的。

与其跟他一组，我宁愿一个人做这个项目。

- 转折复句

530【七—九106】**……，而……（则）……**

绝大多数的人用感觉来思考，而我却用思考来感觉。

北方人过春节往往吃饺子，而南方人的习俗则是吃汤圆。

531【七—九107】**……，……倒/反倒……**

我好心劝他，他倒怪我，真是好笑！

听护士这么一说，他反倒放松了下来。

- 假设复句

532【七—九108】**倘若/若……，……**

倘若这几个问题你都能解决，你一定会获得成功。

若不小心，是不是又会发生纠纷？

533【七—九109】**倘若/假设/假使/若……，就/那（么）……**

倘若一点儿音乐知识都没有，就会遇到困难。

假设这是我们未来的家园，那这个世界就不会再有饥饿的儿童。

假使一切能重新开始，那么我绝不会选择这一条路。

534【七—九110】**幸亏……，要不然/不然/要不/否则……**

幸亏你提醒了我，要不然我就忘了。

幸亏有你帮忙，不然我真不知道怎么办才好。

- 条件复句

535【七—九111】**别管……，都……**

别管台下坐的是谁，你都要充满信心。

这样的话一出口，别管是谁，都得挨骂。

536【七—九112】**任……，也……**

任他们怎么推，也推不动。

任他是什么高职位的人，也管不了我。

- 因果复句

537【七—九113】**(因)……，故……**

因不是体面的事情，故不敢说出来。

他已经适应了国外的生活，故不打算再回国。

538【七—九114】**鉴于……，……**

鉴于他的表现良好，学校决定允许他回来上课。

鉴于他在处理这种问题上毫无经验，公司决定派我来帮助他。

539【七一九115】(由于)……，以致……
他睡过头了，以致错过了第一节课。
他由于学习不认真，以致考了最后一名。

540【七一九116】……，以至于……
事情发展得太快，以至于大家都难以反应。
这篇课文他读了很多遍，以至于全文都背得出来。

541【七一九117】之所以……，是因为/是由于……
这部电影之所以好看，是因为内容很有趣。
妈妈之所以生气了，是由于他不肯承认自己的错误。

• 让步复句

542【七一九118】固然……，也……
那固然是我们的习惯，也还需要有另外的理由。
他的话固然给我安慰，也使我难过。

543【七一九119】……固然……，但是/可是/不过……
一个人的成功，聪明固然重要，但是努力更重要。
网络固然给我们带来了便利，可是也给我们带来了麻烦。
这种方法固然有用，不过也不能解决根本问题。

544【七一九120】即便……，也……
即便你成绩好，也不能骄傲。
他眼神中充满的即便不是感动，至少也是同情。

545【七一九121】虽说……，但是/可是/不过……
虽说他年纪小，但是也不能过于任性。
虽说中文很难，可是它很有趣。
虽说这是件小事，不过我们应该重视起来。

546【七一九122】纵然……，也……
我们的意见纵然不一致，也应当互相理解。
这事纵然不好，也是他们之间的事，就让他们自己处理吧。

• 目的复句

547【七一九123】……，以……
政府用他们的名字命名这条街，以纪念在战争中牺牲的战士。
老师采用新的教学方法上课，以调动学生的积极性。

548【七一九124】……，以免/免得……
出门在外看好你的东西，以免丢失。
你把这个写下来，免得过后忘记。

• 解说复句

549【七一九125】……，也就是说……
这是我的决定，也就是说不关你的事。
他说这是他新买的书，也就是说他不想借给我们看。

• 紧缩复句

550【七一九126】(要+)动词+就+动词+个+补语
要玩儿就玩儿个痛快，别总想工作。
喝就喝个够，今天不醉不回家。

551【七一九127】动词（+宾语1）+就+动词（+宾语1），别……
　　走就走，别用这个威胁我！
　　说几句就说几句，别太在意。

• **多重复句**

552【七一九128】三重或三重以上的复句
　　他对中文感兴趣，而且对中国文化也十分好奇，所以决定去中国留学，但遭到了父母的反对。
　　大家不要只看外面的风景，也不要只顾看手机，要看好自己的物品，以免产生不必要的损失。
　　只要多练习，你的中文水平就会有进步，成绩也会提高，自然也会得到奖学金。

六、强调的方法

553【七一九129】反问句3：何必/何苦……呢？
　　这么简单的事我又何必一件事分两次做呢？
　　我对谁都没有讲，何苦事先就让他们伤心呢？

七、口语格式

554【七一九130】(不过/但/可是)话又说回来，……
　　话又说回来，不能因为生病就失去希望。
　　但话又说回来，我们为什么不能把事情处理得对我们更有利呢？

555【七一九131】X(也)不是，不X也不是
　　走不是，不走也不是，弄得我们不知道怎么办才好。
　　笑也不是，不笑也不是，真让人尴尬。

556【七一九132】X也好/也罢，Y也好/也罢
　　去也好，不去也好，反正不是什么大不了的事。
　　快乐也好，伤心也好，这个故事就要结束了。
　　你也罢，我也罢，都帮不了什么忙。
　　喜欢也罢，愤怒也罢，终究都是一种情绪。

557【七一九133】X了又Y，Y了又X
　　他装了又拆，拆了又装，修理了一整天。
　　小朋友写了又擦，擦了又写，正在认真地练习写汉字。

558【七一九134】X也X不……，Y也Y不……
　　妈妈还处于担心的状态中，吃也吃不下，睡也睡不着。
　　父母与孩子的关系就是这样，赶也赶不走，留也留不住。

559【七一九135】别提(有)多X了
　　刚才买的那件衣服，别提多好看了。
　　听到爸爸的声音，她别提有多兴奋了。

560【七一九136】不知X的
　　不知怎么的，我的眼泪止不住地往下流。
　　不知谁说的，他才是凶手。

561【七一九137】话（说）是这么说，不过/可/可是……
话是这么说，不过她还是不习惯。
说是这么说，可对方要是真这么干，那我们也做不了什么。

562【七一九138】看/瞧你那（X）样
看你那伤心样，还以为你这回真的好不到哪里去了。
瞧你那样，还挺得意。

563【七一九139】看在X的面子上
我是看在她的面子上才答应的。
三位客人看在老人的面子上又坐下了。

564【七一九140】哪有X这么Y的/有X这样Y的吗
哪有你这么过分的？好处全让你给占了。
哪有你这么直接的？给他留点儿面子呀。
有他这样做人的吗？总是在背后说人家坏话。

565【七一九141】什么X的Y的
什么你的我的，都是大家的。
什么好的坏的，我们买的都是一样的。

566【七一九142】说到/想到哪儿去了
你看你，说到哪儿去了，我说的是买蛋糕的问题。
你想到哪儿去了！我肯定不会跟别人说的。

567【七一九143】无所谓X不X
无所谓好看不好看，我满意就行。
无所谓贵不贵，质量好就可以。

568【七一九144】要X有/没X，要Y有/没Y
她要成绩有成绩，要形象有形象。
他要学历没学历，要胆子没胆子。

八、句群

(一) 按形式分类

569【七一九145】带关联词语

除了记忆能力差之外，我还有其他的缺点，这些缺点在很大程度上使我变得无知。因为我脑子慢、糊涂，周围环境稍有变化就会看不清楚。因此，即使是十分容易解开的谜，我也从不要求自己去解。

您花上几天时间，到处寻找，也可能没有一点儿收获。假如一个上午能找到两三片化石，那么这个上午就可以说是终生难忘的时刻了。然而，上个月我们竟然有过三次"终生难忘的时刻"。

570【七一九146】不带关联词语

风，更猛了。雪，更大了。我们每前进一步，更艰难了。
盼望着，东风来了，春天的脚步近了。一切事物都像刚出生的孩子，柔柔的，嫩嫩的。草绿了，花开了，河面上的冰雪也开始融化了。

（二）按意义分类

571【七—九 147】联合关系：并列句群、承接句群、递进句群、选择句群、解说句群、总括句群

　　在一起一年多了。时间虽然不长，但是哥哥再也没有胃疼得起不来了，那是因为我每天早上硬拉他起来吃早饭。我呢，更是体会到了被人悉心照料的感觉。从此我们的生活就多了一份彼此间的牵挂。（承接句群）

　　运动场聚集了很多人。来长跑的有大学的音乐系教授、中文系教授，有跳高运动员、跳远运动员、游泳运动员、长跑运动员，有那个写了一部小说的作家，还有各个大学的大学生。总而言之吧，那时候小小的农场真可谓人才聚集，全省的本事人基本上都到这里来了。（总括句群）

572【七—九 148】偏正关系：条件句群、因果句群、目的句群、转折句群、假设句群、让步句群

　　他们俩正是这样有思想的一对青年。在当时新思想的影响下，他们走上了革命之路。不少人热情地歌颂了他们的反抗和爱情，但是鲁迅先生以敏锐的目光看到了这种反抗和爱情中所包含的悲剧因素。（转折句群）

　　单位楼下的路口，新开了两家卖早餐的店，早餐的主要顾客，是在附近写字楼上班的人。虽然卖着同样的早餐，味道差不多，价格也一样，而且每天早上每家店前都排满了顾客，但月底一计算，东边胖大姐的利润却是西边瘦大姐的两倍多。仔细观察一番才发现，原来差别竟出在经营策略上——瘦大姐坚持自己十几年卖早餐的传统方式，每收一个顾客的钱，就卷一个饼，然后收下一个顾客的钱，再卷一个饼。而胖大姐则截然不同，她事先把做好的饼摆整齐，自己只管收钱和找钱，前面并排放着五双筷子，让交完钱的顾客自己动手卷菜。（因果句群）